Dorota **Augustyniak-Madejska**
Bożena **Biernot**

Schudnij
w zgodzie ze swoją grupą krwi

Redaktor prowadzący: Michał Mrowiec

Projekt okładki: Jan Paluch

Fotografia na okładce została wykorzystana za zgodą Shutterstock.com

Wydawnictwo HELION
ul. Kościuszki 1c, 44-100 GLIWICE
tel. 32 231 22 19, 32 230 98 63
e-mail: *sensus@sensus.pl*
WWW: *http://sensus.pl* (księgarnia internetowa, katalog książek)

Drogi Czytelniku!
Jeżeli chcesz ocenić tę książkę, zajrzyj pod adres
http://sensus.pl/user/opinie?schudn
Możesz tam wpisać swoje uwagi, spostrzeżenia, recenzję.

ISBN: 978-83-246-6348-4

Printed in Poland.

Córce Martusi
Dzięki niej to, co robię, nabiera znaczenia.

Bożena Biernot

Moim Najbliższym

Dorota Augustyniak-Madejska

Dziękuję

Mojej „wspólniczce” za propozycję współpracy, kierownictwo i dążenie do perfekcji.

Rodzinie za wkład w pokazywanie, jak idee zawarte w tej książce stosować w praktyce.

Beatce Kuk za twórcze rozmowy i pomoc techniczną.

Bożena Biernot

Dziękuję

Czytelnikom za niezliczoną ilość pytań zadanych po ukazaniu się książki *Zdrowie masz we krwi*. To one zmusiły mnie do udzielenia odpowiedzi w formie nieco bardziej obszernej niż e-mail.

Mojej partnerce od współtworzenia za wspaniałą przygodę, którą pozwalam sobie traktować jako początek wielu naszych wspólnych przedsięwzięć.

Eli Szumskiej, nieocenionej ilustratorce, za godziny spędzone na nadawaniu fizycznego kształtu moim wyobrażeniom.

Moim domownikom za niebywałą cierpliwość, wyrozumiałość i nieustające wsparcie.

Dorota Augustyniak-Madejska

Spis treści

Czego człowiek nie rozumie, tym nie włada

— *Johann Wolfgang von Goethe*

Polekturowe refleksje

Jeżeli...

- jesteś po kilku próbach odchudzania i masz serdecznie dość walki ze sobą,
- chcesz się odchudzać, ale ciągła kontrola i wyrzeczenia to ostatnia rzecz, której pragniesz,
- nie zniesiesz już traktowania jedzenia jak grzechu, po którym czujesz, że najlepsze, co możesz zrobić, to z poczuciem winy chodzić na kolanach wokół stołu...
- lubisz siebie lub chcesz polubić, zrobić coś dla swojego zdrowia, dobrego samopoczucia i wyglądu...

przeczytaj tę książkę.

My przeczytaliśmy ją jednym tchem. Jednak wiemy, że będziemy do niej wracać i tych „tchów" będzie dużo więcej. Przeczytaliśmy ją z ciekawością, ponieważ jest napisana lekko, ze swadą, z pełną przykładów i metafor narracją. I daje nadzieję. Po raz pierwszy ja (Jerzy), rasowy smakosz, łowca specjałów, nieumiarkowany „dokładkowicz", znalazłem odpowiedź, jak nie rezygnując z przyjemności smakowania, umacniać nią somę, psyche i serce. Wystarczy jedynie, słuchając mądrości swojego ciała, podążyć za jego wskazówkami, by razem z nim codziennie robić posiłki, a następnie powoli, ze smakiem je spożywać.

To książka nie tylko o odchudzaniu. Tak naprawdę to książka o stosunku do siebie. To propozycja konkretnych działań, które również poprzez sposób, w jaki jemy, i to, co jemy, pozwolą nam jeszcze bardziej akceptować i kochać siebie.

Dotąd traktowaliśmy ciało jako narzędzie, które miało jedynie nam służyć. Nam, czyli komu?

Łatwo zapomnieliśmy, że ciało to też my, że jeśli nie zadbamy, nie zatroszczymy się o nie z aprobatą i miłością, nie będzie nas.

To książka napisana z pasją, znawstwem i szacunkiem do czytelników. Autorki traktują nas jak ludzi odpowiedzialnych za siebie, których nie trzeba pouczać, z wysokości autorytetu nakazywać zmianę i zdrowe odżywanie. One jedynie dostarczają nam informacji, przykładów i wyjaśnień. Dyskretnie, bez moralizatorstwa i nachalności dzielą się doświadczeniami, cały czas decyzję o tym, jak żyć, pozostawiając w naszych rękach. Nie proponują rewolucji. Nie namawiają do walki z sobą. Barwnie i zrozumiale pokazują, z jak wielu cegiełek możemy budować dobre samopoczucie. Wszystkie te elementy mamy na wyciągnięcie ręki, tętniące w naszym ciele. Często nie korzystamy z nich, bo nie wiemy, że tak można, lub wydaje nam się, że to bardzo skomplikowane. Otrzymując wyjaśnienie, dziwimy się, że to takie proste.

Obok solidnej porcji wiedzy o odżywianiu i dbaniu o siebie jest w tej książce dużo akceptacji dla nas, dużo życzliwego, pobudzającego humoru. Ten humor sprawia, że czyta się ją z zainteresowaniem, bez zająknięcia, wchłaniając inspiracje dotyczące żywienia jak opowiadanie, którego treści i dalszego ciągu jesteśmy ciekawi. Tym dalszym ciągiem jest nasze życie, efekty, jakich doświadczamy, jedząc zgodnie z rytmem krwi, zgodnie z głównym nurtem naszego ciała. Ten ciąg dalszy piszmy już sami.

Wyczytaliśmy też dobre i mądre przesłanie, że to, jak i co jemy, jak traktujemy swoje ciało, jak myślimy o sobie, jest częścią wpływu, jaki mamy na swoje życie. Na jego długość, jakość i szczęście. Zdrowie i moc w tych sferach zależy od nas. Każdy kęs może być aktem integracji, mądrości, myślenia, uzdrawiania i miłości do siebie.

Za to pełne nadziei przesłanie bardzo dziękujemy.

Anna i Jerzy Pocicowie
Akademia „Sokrates", Kraków

Dla kogo jest ta książka?

Myślenie o diecie bardzo często nasuwa skojarzenia z czymś, co dręczy i męczy.

Sugeruje i podpowiada, że dla uwieńczenia swoich zmagań sukcesem za wszelką cenę trzeba jakiś czas przetrwać.

Czy jednak na pewno o to chodzi?

Słowo „dieta" pochodzi od greckiego *diaita*. A to wcale nie oznacza wyrzeczeń, poświęceń, a tym bardziej ofiar. Wyraz ten ma zabarwienie zdecydowanie optymistyczne, bo określające to, co nazywamy „stylem życia".

Dlatego naszą książkę dedykujemy osobom zainteresowanym właściwie rozumianym, rozsądnie i stopniowo korygowanym, dającym trwałe efekty, zdrowym stylem życia.

Dorota Augustyniak-Madejska
Bożena Biernot

Dlaczego dwie autorki?

Dlaczego właśnie ją zaprosiłam do współtworzenia tej książki?

Pojawiła się na mojej drodze pewnego grudniowego przedpołudnia. Ta rozmowa telefoniczna była ogromną przyjemnością. Zapamiętałam ją, ponieważ różniła się od wszystkich poprzednich, odbytych z dietetykami. Nie dyskutowała. Nie usiłowała udowadniać. Zadawała pytania i z uwagą słuchała.

Uwielbiam ludzi z pasją, a ona ją ma. Nie ustaje w pogłębianiu wiedzy, w poszukiwaniach, w docieraniu do sedna zjawiska, które ją intryguje. Jestem pewna, że jeśli podpisuje się pod jakąś recepturą, dokładnie ją sprawdziła. I to nie raz, ale wielokrotnie. Zapytana, nawet w środku nocy, o sposób przygotowania konkretnej potrawy, umie nie tylko opowiedzieć ze szczegółami o całym procesie technologicznym, ale i wyjaśnić, dlaczego taki sposób obróbki produktu będzie w danym przypadku najlepszy. Po to, by zdobyć zdrowszy zamiennik, jest gotowa przejechać wiele kilometrów. Ciągle i nieustająco zainteresowana maksymalizacją zdrowia, nie tylko swojego. To kobieta, która kocha ludzi, a oni to odwzajemniają.

Nie mam pojęcia, gdzie mieszkasz i bywasz. Natomiast wiem, gdzie masz szansę sprawić swojej grupie krwi prawdziwą kulinarną ucztę. Na taką okoliczność polecam wyjątkową restaurację. To Korbasowy Dwór w Cieszynie. Przy odrobinie szczęścia możesz ją tam spotkać.

Dorota Augustyniak-Madejska

Dlaczego propozycję przyjęłam z entuzjazmem?

Rzeczywiście, nasza znajomość zaczęła się pewnego grudniowego dnia. Był to czas, kiedy poszukiwałam dietetyczno-medycznego rozwiązania problemu, z którym nijak nie mogłam sobie poradzić. Ona miała dla mnie rzeczowe i logiczne odpowiedzi, których konwencjonalna medycyna nie była mi w stanie udzielić.

Dorota należy do osób, które swoją prawdę głoszą pewnie i z wdziękiem. Dąży do wzniosłych celów, pozostając sobą. Z takimi ludźmi chce się przebywać i działać w imię wspólnych ideałów. To, co robi, robi z wielkim sercem. Daje jej to radość, którą emanuje i zaraża. Radość jest stanem, któremu nie można się oprzeć. Dlatego propozycję współpracy przyjęłam z entuzjazmem i radością właśnie.

Bożena Biernot

Kilka słów na dobry początek

Lubimy jeść. Nieprawda. Uwielbiamy jeść!

Jedzenie jest przyjemne, a my lubimy przyjemności. Dla jednej z nas kuchnia nie jest miejscem wymarzonym. Jadalnia — owszem. Za to druga w świecie kulinariów mogłaby spędzić życie. Z pewnością naszą wspólną cechą (poza umiłowaniem smacznego jedzenia) jest to, że obie nie przepadamy za... odchudzaniem.

Przypuszczamy, że podobnie jak my, Ty też lubisz jeść.

Chcesz schudnąć, ale nie masz ochoty rezygnować z jednej z najbardziej podstawowych i dostępnych rozkoszy. Dlatego po książkę sięgasz nie po to, żeby się głodzić. Chętnie natomiast zwiększysz swoją atrakcyjność. Wiesz, że pomoże Ci w tym ładna sylwetka. Ponadto chcesz wreszcie świadomie zadbać o zdrowie i mieć więcej energii. No i liczysz na ekstrabonus. Tym razem będzie nim prawdziwa satysfakcja i mnóstwo wynikającej z tego radości.

My z kolei chcemy, by dzięki zmianom przez nas zasugerowanym, a przez Ciebie wprowadzonym, Twoje życie stało się pełniejsze, a to, co robisz, bardziej efektywne.

Dlaczego nam na tym zależy? Bo człowiek zadowolony z siebie może dużo, dużo więcej.

Jeśli myślisz podobnie, zapraszamy do lektury i działania.

Dorota Augustyniak-Madejska
Bożena Biernot

Nasze doświadczenia z odchudzaniem

Był w moim życiu czas, kiedy wyglądałam wyjątkowo źle. Dużo później dowiedziałam się, że kilka mieszkających w niedalekim sąsiedztwie osób snuło domysły nad przyczynami tych zmian. Jednym z domniemanych powodów miał być podobno... rozpad mojego małżeństwa. Takie wieści dotarły do mnie dopiero po jakichś dwóch latach. Gdyby miało to miejsce obecnie, poczułabym się niemal jak celebrytka (wtedy to określenie chyba u nas jeszcze nie funkcjonowało), która o nowinkach na swój temat dowiaduje się z tabloidów.

Tak czy owak, dobrze nie było. Musiało być naprawdę kiepsko, skoro od jednej z najbliższych i całe życie dobrze życzących mi osób usłyszałam coś, o czym trudno powiedzieć, że podniosło na duchu. Zaproponowała, że mnie sfotografuje. (O cyfrówkach nikt wtedy jeszcze nie słyszał, więc zdjęcia trzeba było wywoływać u fotografa). Niestety nie po to, by uchwycić i ocalić od zapomnienia przyjemny moment. Cel był inny. Miałam zobaczyć, jak wyglądam. To z kolei miało być szansą na tzw. wzięcie się za siebie. Smutne, ale najprawdziwsze.

Skąd to wszystko? Dlaczego osoba raczej szczupła, dbająca o swój wygląd, nagle przestała być atrakcyjna? Kto albo co maczało w tym palce?

Powodem tych radykalnych zmian był permanentny, długotrwały stres. Może nawet nie sam stres, ale moja reakcja na niego. Teraz, na szczęście, wszystko to już mocno przyblakło w pamięci. Kojarzę jednak taki moment, w którym od osoby postawionej na mojej drodze (to prawdziwy cud, że pojawiła się właśnie wtedy) usłyszałam: „Proszę pani, ale słońce jest dla wszystkich!". Na takie dictum zrobiłam wielkie oczy, bo nie wierzyłam, że „wszyscy" to również ja.

Zajadanie problemów tym, co znalazło się pod ręką, dało opłakany efekt. Tłuszczu zniekształcającego sylwetkę przybywało z tygodnia na tydzień, a z każdym kolejnym miesiącem było tylko gorzej. Tak swoją drogą, to dość niezwykłe. Jeśli problem trwa miesiącami lub przez kilka lat, to przecież nie jest się cały czas głodnym. Mimo to jedzenia nigdy nie dość i zawsze znajdzie się trochę wolnej przestrzeni, żeby dopakować coś jeszcze.

Wtedy okazało się, że spodziewamy się drugiego dziecka. Na szczęście! Od tej chwili musiałam skupić się na sobie i rosnącym we mnie maleństwie. Nadal nie było łatwo. Po prostu inaczej. Fatalne samopoczucie w pierwszych miesiącach, a zaraz potem zaawansowana cukrzyca. Obskurny, działający wyjątkowo przygnębiająco oddział internistyczny w lokalnym szpitalu. Sąsiednie łóżko w dużej sali zajmowała była więźniarka obozu koncentracyjnego. Jej opowieści były niewyobrażalnie smutne. Kolejny etap w oczekiwaniu na przyjście dziecka już trochę lepszy, bo Patologia ciąży w klinice. Po wcześniejszych doświadczeniach umiałam docenić całkiem niedawno pomalowane ściany. To już było naprawdę coś. Przez cały czas dieta cukrzycowa. Mimo to przed porodem byłam cięższa o (bagatela!) 26 kg. To i tak lepiej niż trzy lata wcześniej. W pierwszej ciąży było mnie więcej aż o 32 jednostki, mierzone oczywiście w kilogramach!

Na świecie pojawił się nasz Promyczek (w domyśle… nadziei).

Czas mijał. Wreszcie przyszedł moment, kiedy oglądanie własnego odbicia w lustrze było ponad moje siły. Postanowiłam coś zrobić. Od razu albo nigdy. Zdecydowałam, że ostatni raz (po kilku nieudanych próbach) podejdę do odchudzania. Nie chcę już zadręczać samej siebie i tych, których kocham najbardziej na świecie. Dlatego jeśli się nie uda, poszukam innego sposobu na zaakceptowanie swojego wizerunku. Zamiast walczyć z niedoskonałościami, pomyślę o zupełnie innych ubraniach, znajdę stosowne kolory i jakoś to będzie. Teraz, z perspektywy lat, już nie pamiętam, co rzeczywiście wtedy myślałam. Czy samą siebie udawało mi się przekonać do pogodzenia się z tym wyglądem? W każdym razie opcja zaakceptowania siebie z nadwagą była tą drugą. Wcześniej czekała mnie ważna próba.

Jestem osobą (rasową „zerówką"!), której wyjątkowo trudno coś narzucić. Nigdy przedtem nie zastanawiałam się nad tym w kontekście żywienia. Podejmując decyzję o zmianie, zdałam sobie sprawę, że stosowanie jakiejkolwiek diety, która by coś nakazywała, czegoś zakazywała, w jakiś sposób ograniczała, w ogóle nie wchodzi w grę. Uświadomienie sobie tego stało się początkiem przełomu. Wymyśliłam więc, że stworzeniem zaleceń dla siebie zajmę się sama. Zanim jednak to zrobię, odbędę szczerą rozmowę z osobą w planowanym przedsięwzięciu najważniejszą. Ze sobą. Tak też się stało.

Zaczęłam od pochylenia się nad podzieloną na pół kartką papieru. Po jednej stronie wypisałam, z czego bez problemu i żalu zrezygnuję, a po drugiej, co w swoim codziennym menu wolę zostawić. To był pierwszy, najważniejszy krok postawiony na drodze prowadzącej do upragnionego celu. Stworzenie listy produktów spożywczych zimą 1996 roku było nie lada zadaniem. Wtedy różnorodność warzyw i owoców (pomijając kwestię ich wartości odżywczej) była raczej w sferze marzeń. Bez względu na wszystko postanowiłam wytrwać w swoich postanowieniach.

Co to dało?

Po siedmiu tygodniach ważyłam 14 kg mniej. Przyszła piękna wiosna. Sprawiłam sobie śliczną, krótką, jaśniutkozieloną sukienkę. Ciało złapało trochę słońca. Podczas osiedlowych spacerów z dziećmi byłam zatrzymywana przez bliższych i dalszych sąsiadów i tych, którzy znali mnie tylko z widzenia. Wszyscy pytali o to samo:

„Co zrobiłaś?", „Co pani zrobiła?". Kilka osób nawet przyznało: „Nie wierzyłam, że aż tak schudniesz", „Nie myślałam, że dasz radę", „To niesamowite, że można aż tak się zmienić! Może jeszcze raz opowiesz o tym, co jadłaś. Wcześniej nie chciałam słuchać, ale widząc twoje efekty, jestem gotowa podjąć wyzwanie".

Nie ukrywam. Byłam dumna i szczęśliwa. Nie tylko wyglądałam doskonale, ale i tak się czułam. Miałam w sobie mnóstwo energii do tego, by zmierzyć się z tym, co dookoła, by zrobić kolejny krok w kierunku lepszej przyszłości.

Dlaczego o tym piszę? Co ta retrospekcja ma wspólnego z odchudzaniem w zgodzie z własną grupą krwi?

Od tamtej pamiętnej wiosny do momentu, który stał się dla mnie ważnym punktem zwrotnym, minęły 4, może nawet 5 lat. Z racji zainteresowań prozdrowotnych, które zrodziły się w międzyczasie, wzięłam udział w wykładzie medycznym. Nie pamiętam już jego treści. Nie przypominam sobie nawet tematu. Za to doskonale zapamiętałam to, co wtedy do mnie dotarło. Kiedy poskładałam wszystko w jedną całość, stało się oczywiste, że moje, stworzone dla siebie w 1996 roku zalecenia były w bardzo dużej części tymi, których najbardziej potrzebuje moja grupa krwi. Pamiętam, że moje poruszenie było tak ogromne, iż nie byłam w stanie spokojnie usiedzieć na miejscu. I nawet niechcący zwracając na siebie uwagę pozostałych uczestników spotkania, coś z entuzjazmem wykrzyknęłam. To było prawdziwe odkrycie. Jakże ważne i bardzo cenne na resztę życia.

Dorota Augustyniak-Madejska

Długo zastanawiałam się, jak daleko wstecz na osi czasu sięga moje doświadczenie z odchudzaniem. Wyrosłam w rodzinie, w której odkąd pamiętam, zawsze ktoś chodził do szkoły gastronomicznej, prowadził własną gospodę, cukiernię lub chociażby herbaciarnię.

Kuchnia to najprzytulniejsze miejsce, jakie znam. W moim rodzinnym domu to właśnie w kuchni, przy śpiewie czajnika i piecu kaflowym z buzującym ogniem odbywały się wszystkie familijne dyskusje o „interesach". Dorośli rozmawiali o nurtujących ich branżę problemach, a ja przygotowywałam kawę, kakao, smażyłam naleśniki z rodzynkami. Kuchnia to część mojego dzieciństwa. Tu wyrosłam.

Zupełnie naturalne było, że na każde następne spotkanie drobnych biznesmenów (cioć i wujków) w naszej kuchni trzeba było przygotować coś pysznego. Wtedy były pochwały i stwierdzenia typu: „Rośnie nam nowe pokolenie restauratorów". Od mamy na urodziny zawsze dostawałam, sprawiającą radość nie do opisania, książkę kucharską.

Byłam szczupłą nastolatką. Miałam niesamowitą przemianę materii. Wszystkie smakołyki sporządzane w naszej domowej kuchni spalałam na rowerze i wycieczkach górskich. Problem pojawił się, kiedy w szkole przybyło nauki i trzeba było przysiąść fałdów. Ambicje otrzymywania dobrych ocen nie zostawiały czasu na takie jak dotychczas podwórkowe szaleństwa. Skutecznie i na długo zastąpiło je codzienne wielogodzinne siedzenie za biurkiem. Od tego momentu równie naturalną częścią mojego życia stało się poszukiwanie różnych cudownych diet, których rezultatem były ciągłe wahania wagi.

Prawdziwą zmorą w tym okresie mojej wczesnej młodości były wypracowania. Teraz pewne zdarzenie z tym związane opowiadam jako anegdotę. Niestety dla mnie, polonistka (pani Wrona) była wyjątkowo wymagająca. Moją miłością było zupełnie co innego. Kochałam matematykę i chemię. A tu jedno z zadań domowych z polskiego w ósmej klasie brzmiało tak: „Opisz miesiąc życia kobiety przyszłości (rok 2350 naszej ery)". Nie wiedzieć czemu, prócz codziennych przygód życia mojej bohaterki uznałam za stosowne opisać również jej menu. Tym sposobem powstało coś w stylu scenariusza do filmu *Jedz, módl się i kochaj* z Julią Roberts, tyle że w wersji science fiction. Polonistka, rozdając poprawione i ocenione prace, stwierdziła: „Nieźle, tylko po co w szkolnym wypracowaniu to menu? To nadaje się do książki o odchudzaniu!". I tak pani Wrona wykrakała.

W tym czasie w moim życiu, tak jak w przypadku wielu nastolatek, młodzieńcze przygody i miłości przeplatały się z normalnością. Pomiędzy tym były diety i pigułki odchudzające, a co za tym idzie, dwa kilo na wadze w dół, a krótko po tym trzy do góry. Układ rodzinno-plemienny istniał nadal. Spotkania w kuchni były swego rodzaju rytuałem, obowiązkiem jak niedzielna msza. To, co działo się za ich sprawą, dla mnie stanowiło swego rodzaju równię pochyłą.

W mojej sytuacji decyzja o podjęciu nauki w Studium Dietetycznym była dość oczywistym wyborem. Myślałam, że dzięki zdobytej tam wiedzy odchudzę cały świat ze sobą na czele. Uczyłam się o tym, co zdrowe i co zdrowiu nie służy. Polska rzeczywistość w dietetyce lat osiemdziesiątych to niestety stawianie na nabiał (w szczególności mleko krowie), potem mięso, kasze, zboża, dopiero w dalszej kolejności warzywa i owoce, energetyczne tłuszcze. Oliwa z oliwek jawiła się jako dziwny wynalazek z kapitalistycznej Europy.

Jak wielkie było moje zdziwienie, kiedy po urodzeniu córeczki Marty i odżywianiu się w zalecany sposób sprawiłam sobie dodatkowych 10 kilogramów. Wszystko to pod okiem lekarzy i czułym patronatem rodziny restauratorów. Na jedzenie nabiału, który miał być samym zdrowiem, miałam ich nieustające błogosławieństwo.

Wiedziałam, że potrzebuję układu zwanego Rodziną, w którym wzrastałam. Natomiast nie mogłam się zgodzić z ich poglądami na temat żywienia, bo u mnie zupełnie się one nie sprawdzały.

Dobrze, że pozostał mi nawyk poszukiwania i czytania dobrych książek.

Obserwacje ludzi skłoniły mnie do stwierdzenia (teraz już oczywistego faktu), że przecież jeśli w grupie osób bardzo podobnie odżywiających się jedni są szczupli, a inni tyją, to chyba brakuje mi jakiejś bardzo istotnej informacji.

Opatrzność czuwała nade mną. Trafiłam na książki doktora Petera D'Adamo. Zdobytą wiedzę zaczęłam wcielać w życie. Odżywiałam się i nadal odżywiam zgodnie z moją grupą krwi. Nie chodziłam głodna. Gotowałam jak dawniej, tylko z wyłączeniem niektórych (zakazanych dla grupy A) produktów. Osoby z tą grupą krwi lubią brać na własne barki problemy całego świata i martwić się na zapas. Ta cecha potrafi nieźle w życiu namieszać. Podobnie było ze mną. Natknąwszy się na stosowne w tym względzie zalecenia, poradziłam sobie ćwiczeniami oddechowymi, medytacjami i szkoleniami z zakresu rozwoju osobistego. Bardzo mi to pomogło.

Te doświadczenia bardzo mnie zmieniły. Nie wyrzekłam się swoich korzeni, ale znalazłam inną drogę nie tylko do utraty zbędnych kilogramów, ale co ważne, do własnego zdrowia fizycznego i psychicznego. Wiem, co mi służy, a co szkodzi. Wiem, jak poruszać się w tym życiowym labiryncie. Jestem pogodzona ze sobą i światem. Nosząc ulubione dżinsy w rozmiarze z dawnych lat, na każdy dzień patrzę z otwartym umysłem i nieustającym zachwytem.

Bożena Biernot

1

O sabotowaniu własnych działań

Aleksandra Former w książce *Inteligentne odchudzanie* pisze o tzw. sprzecznej motywacji. Być może zapytasz: „Cóż to znowu za pomysł? Albo się ją ma, albo nie!". Masz rację. Prawdziwa motywacja to niezaprzeczalna siła napędowa. Ci prawdziwie zmotywowani rzadziej mają problemy z samodyscypliną i konsekwencją. Ale jako że człowiek to stworzenie dość skomplikowane, może z całkiem dobrym skutkiem (co wcale nie znaczy pozytywnym) sabotować własne działania.

Przyjrzyjmy się, na czym polega ta swego rodzaju osobista dywersja?

Przyszedł moment, że coraz częściej myślisz o tym, iż byłoby dobrze mieć piękną, szczupłą sylwetkę. Wydaje Ci się nawet, że jeżeli tak się stanie, Twoje życie odmieni się o 180 stopni. Żyjesz już wystarczająco długo, by wiedzieć, że nic nie przychodzi samo. Zdajesz sobie sprawę, że w osiągnięcie tego celu trzeba włożyć pewien wysiłek, należy wprowadzić wiele zmian. To, jak wiadomo, wymaga determinacji. To już mniej Ci się podoba. Myślisz: „Znów mam sobie czegoś odmawiać? Kolejne wyrzeczenia? Ja tak nie chcę! Nie! Nie! I jeszcze raz nie!".

Każdy, kto przynajmniej raz próbował pozbyć się nadwagi, jest w stanie sobie to wyobrazić. No, bo kto chce rezygnować z tego, co lubi, co sprawia przyjemność? Tego rodzaju dylematy są tak powszechne, że mało komu przyszłoby do głowy, by nazywać je sabotażem. Dlatego teraz kilka słów o innej jego odmianie, z której istnienia warto zdawać sobie sprawę.

Z jednej strony myślisz sobie: „W ciągu pięciu miesięcy schudnę 20 kilogramów".

Z drugiej zaczynasz dialog ze sobą: „Czy znam kogoś, kto schudł aż tyle w tak krótkim czasie? Tak. Tak. Pamiętam. To było jakieś trzy lata temu. Ta sąsiadka spod czwórki. No i przyjaciółka znajomej mojej mamy. Tyle że obie z powodu... raka! O nie! Były takie piękne! Zwłaszcza ta dziewczyna z pierwszego piętra. Ślicznie było jej w tych zaplecionych w warkocz marchewkowych włosach i oliwkowej sukience. Spotkana na schodach, zawsze była chętna do rozmowy i taka miła. A ten jej mąż, jaki przystojny! I synek taki grzeczny. Och, te jego wielkie czarne oczy. Żadna sąsiadka nie przeszła koło niego obojętnie. W ogóle, wspaniała rodzinka. Miło było na nich patrzeć. Po co im ta choroba?! Podobno byli po ciężkich przeżyciach, a ona taka wrażliwa. Pewnie miała grupę krwi A. Ci z A to tacy wrażliwcy".

Zaczynasz odczuwać niepokój. Nic dziwnego. Przecież nie chcesz podobnego scenariusza. Jedna część Ciebie pragnie pozbyć się niewygodnego, niedodającego urody balastu. Natomiast druga podpowiada, że normalny człowiek nie ma aż tyle silnej woli. Tak dużo chudną tylko gwiazdy filmowe (wspierane przez cały sztab specjalistów) i persony z pierwszych stron eleganckich magazynów. Albo ci, których... toczy choroba.

Efekt jest taki, że mimo zmagań ze sobą zaczynasz robić coś w kierunku odzyskania pięknego ciała. Pierwsze dwa tygodnie bardzo się starasz. Ciągle jednak czujesz się tak, jakby ktoś kazał Ci iść w dwóch zupełnie przeciwnych kierunkach. A Ty ani tak nie potrafisz, ani nie chcesz. Powoli więc zaczynasz się rozgrzeszać, że przecież nie można mieć wszystkiego. Masz tyle różnych i pilnych zobowiązań. A odchudzanie...? Wolisz zdrowie, a tych kilka kilogramów to tak naprawdę żaden problem. Właściwie przestajesz rozumieć, o co jeszcze całkiem niedawno Ci chodziło.

Wracasz do odwiedzania ulubionej kawiarni. Kolejna porcja doskonałych lodów z bakaliami (może Ty akurat bardziej lubisz owoce) i bitą śmietaną. Kelner na Twój widok szeroko się uśmiecha. To dlatego, że ostatnio oświadczyłaś, iż prawdopodobnie długo się nie spotkacie. Ale przecież rozmowa z nim zawsze sprawiała Ci przyjemność. Niech więc będzie, jak było. Przecież jest dobrze. A już na pewno smacznie.

To, o czym piszę, to nie tylko teoria i wyobraźnia. To również znam z autopsji. Gdzieś kiedyś wyczytałam, że dobrze w czasie odchudzania praktykować afirmację. Miało to polegać na wielokrotnym pisaniu w ciągu dnia określonego tekstu. Choć bardzo słabo radzę sobie z wizualizacjami, przekonałam się, że ta metoda działa nadzwyczajnie. Oczywiście w połączeniu z odpowiednim odżywianiem, ruchem i przestrzeganiem paru innych ważnych przy odchudzaniu zasad. Pierwsze efekty zobaczyłam dopiero wtedy, kiedy udało mi się szczerze porozmawiać z samą sobą. Tej części podszytej niepokojem musiałam wytłumaczyć, że będę chudnąć zdrowo. Że będzie towarzyszyć temu doskonałe samopoczucie. Że na zwiększeniu aktywności fizycznej zyska psychika, a ciało wypełni dobra, czysta energia.

Zanim zrozumiałam, że własnymi myślami sabotuję swoje wysiłki, nie było łatwo.

Za każdym razem, kiedy próbowałam napisać „Chudnę 2 kg tygodniowo", oblewałam się potem. Robiło mi się niedobrze. Zaczynałam odczuwać zmęczenie. Kiedy wreszcie uświadomiłam sobie, co jest źródłem lęku, stworzyłam zupełnie nową afirmację. Od tego momentu obawy zniknęły i wszystko poszło zgodnie z planem. Właściwie wydarzyło się znacznie więcej, bo pozytywne efekty (oczywiście w połączeniu z dietą i ruchem) przerosły moje oczekiwania.

À propos sabotowania własnych poczynań, przypomniał mi się jeszcze jeden przykład.

Z zupełnie innej dziedziny. Ale kto wie, może kiedyś Ci się przyda?

Mam taką zasadę, że na szkolenia, które inicjuję, zapraszam wyłącznie sprawdzonych prowadzących. Nigdy nie zadowalam się rekomendacjami. Najpierw sama muszę być uczestnikiem wykładu czy warsztatu. Tylko wtedy mogę ocenić, czy spotkanie ma szansę spełnić oczekiwania tych, dla których zostanie zorganizowane.

Do dzisiaj nie wiem, jak to się stało, że raz zdecydowałam się na odstąpienie od własnej reguły. Napisałam ofertę, intrygującą tak bardzo, że odpowiedziało na nią i z góry zapłaciło za uczestnictwo w szkoleniu dwa razy więcej osób, niż zaplanowaliśmy. Świetny temat. Komplet entuzjastycznych uczestników. Pobyt nad morzem. Czego chcieć więcej?

Problemy zaczęły się w momencie, kiedy trzeba było znaleźć odpowiednie lokum. Odwiedziliśmy z Mężem tak dużo ośrodków szkoleniowych, wypoczynkowych i hoteli, jak nigdy dotąd. Dotychczas nie napotkaliśmy też na tak ogromną liczbę przeszkód. Wreszcie znaleźliśmy odpowiadający naszym wymaganiom pensjonat. Ustaliliśmy warunki. Uścisnęliśmy sobie ręce z gospodarzem i ciesząc się na rychłe ponowne spotkanie, wróciliśmy do domu. Wydawało się, że teraz już wszystko pójdzie jak należy. I pewnie tak by było, gdyby na trzy dni przed terminem seminarium nie zadzwonił pan, który miał gościć naszą grupę. Przez telefon poinformował mnie, że koszty naszego pobytu wzrastają o 100%. I że o żadnych negocjacjach nie może być mowy. Choć głos był ten sam, miałam wrażenie, że kilka dni temu rozmawiałam z zupełnie inną osobą.

Nie mogłam uwierzyć w to, co słyszę. Ale co chyba w tej całej sytuacji najciekawsze, mimo wszystko poczułam... ulgę. Wiedziałam, że przynajmniej niektóre z osób deklarujących udział w szkoleniu są naprawdę zdeterminowane. Dlatego zgodziłyby się nawet na podwojenie stawki. Ulga, która pojawiła się po zakończeniu rozmowy, kazała mi zadziałać w dość specyficzny sposób. Żeby nie dać się namówić na doprowadzenie tego przedsięwzięcia do końca, najpierw zrobiłam zwroty przelewów, a później powiadomiłam, że bardzo żałuję, ale się nie spotkamy.

Jeszcze przez jakiś czas nie do końca rozumiałam, dlaczego tak się stało. W odnalezieniu odpowiedzi na moje pytanie pomogła mi dopiero rozmowa z osobą, która z praktyczną psychologią ma dużo więcej wspólnego niż ja. Jej (właściwie jego, bo to mężczyzna) słowa brzmiały mniej więcej tak: „Nie wiesz, co się stało? Przecież to był twój własny sabotaż! Przecież chciałaś postąpić wbrew sobie. Nie byłaś nigdy na jego szkoleniu, więc nie wiedziałaś, czy to się uda. A tego (jeśli coś poszłoby nie tak) przecież byś nie zniosła".

To pozwoliło poukładać w mojej głowie rozsypane puzzle. Nigdy więcej nie odstąpiłam już od swojej zasady.

Dlaczego o tym wspominam? Po to, by uzmysłowić Ci, a może tylko przypomnieć coś, o czym już od dawna wiesz. Zanim zaczniesz, warto przeanalizować, czy ta „druga część ciebie" przypadkiem nie będzie chciała przeciwstawić się Twoim działaniom.

Kiedy piszę o tym, przypominają mi się inne, podobne historie. Najciekawszą jest pragnienie posiadania domu i związane z tym przedziwne, chwilami wręcz niewiarygodne perypetie. Ale to już opowieść na zupełnie inną książkę.

A tak jeszcze na marginesie... Przystępując do przeprowadzenia procesu, który może stać się początkiem swego rodzaju metamorfozy, nade wszystko pamiętaj, że prawie każda ważna ZMIANA JEST PODDAWANA PRÓBIE. Dotyczy to również działań, na które zdecydujesz się dla poprawy wyglądu. W tym przypadku czeka Cię wiele takich prób. Ale Ty już o tym wiesz, więc nie poddasz się, prawda?

2

Zakochaj się w sobie

Rozmawiam z dwiema kobietami. W zbliżonym wieku, 28 i 31 lat.

Pierwsza, Ania. Polka. Śliczna i niezwykle elegancka. Przy wzroście 165 cm waży 69 kilogramów. Druga, Megan, Amerykanka. Mierzy 167 cm. Waga w jej łazience za nic nie chce wskazać mniej niż 85,7 kg. Patrząc na nią, nietrudno się domyślić, że przyglądanie się sobie w lustrze nie zajmuje jej zbyt wiele czasu. Ania poważna, skupiona. Megan roześmiana. Wyraźnie widać, że życie sprawia jej radość.

Obu zadaję to samo pytanie: „Powiedz, tylko tak od serca, jak czujesz się we własnej skórze?".

Oczy dziewczyny zza oceanu rozświetla radość. Nie ma żadnych problemów z odpowiedzią. Tak jak przypuszczałam, mówi, że ma się świetnie. Wręcz doskonale. A ciało? Po prostu je lubi. Na pytanie, czy chciałaby wyglądać inaczej, szczerze się dziwi. Żartuje, że do Hollywood się nie wybiera, więc właściwie po co miałaby coś zmieniać.

A piękna kobieta znad Wisły? U niej trudno niestety dopatrzyć się nawet cienia entuzjazmu. Pierwszy raz zaczęła odchudzać się zaraz po maturze. Zmotywowała ją perspektywa wyjazdu na studia. Duże miasto uniwersyteckie, nowi ludzie, nowe wyzwania. Postanowiła wziąć się w garść. Choć edukację na poziomie akademickim od kilku lat ma już za sobą, z niewielkimi przerwami, z różnymi efektami, właściwie ciągle jest na jakiejś diecie. Jej wymarzona waga to 58 kg. Kilka lat temu z taką czuła się najlepiej. Jest przekonana, że teraz byłoby podobnie. Mimo że często jest komplementowana z powodu wyglądu, jeśli tylko byłoby ją na to stać, poprawiłaby co nieco. No i te spędzające jej sen z powiek kilogramy. W dodatku aż 11!

Ty też chcesz schudnąć? W porządku. Zanim jednak podejmiesz decyzję o wymianie zawartości swojej szafy na mniejsze rozmiary, mam propozycję. Zapraszam Cię do przyjrzenia się sobie. Jednak nie po to, by wypatrzyć kolejne niedoskonałe punkty. Wprost przeciwnie. Bez względu na to, jak dużego nadmiaru chcesz się pozbyć, co wygładzić, gdzie ująć, a w którym miejscu dodać, przez chwilę skup się na czym innym. Zastanów się: Jak często myślisz o swojej doskonałości? Kiedy ostatnio udało Ci się zachwycić… sobą? A może geniuszem własnego organizmu? Tym, co w sobie masz. Możliwościami, które tkwią nie w kim innym, ale w Tobie.

I co? Nie możesz sobie przypomnieć? To było aż tak dawno? A może w ogóle nie zdarzyło Ci się myśleć o sobie w ten sposób? Jeśli tak, najwyższy czas to zmienić. Chętnie Ci w tym pomogę. Zastanawiasz się, od czego zaczniemy? Od małego przeglądu zasobów. Możesz nazwać to inwentaryzacją, remanentem albo tak, jak chcesz. Wolisz spis z natury? Też ładnie.

Na początek weźmy na tapetę mózg. Iwona Opiełka-Majewska (bardzo lubię jej książki!) w *Czasie kobiet* pisze o nim tak: „W stosunkowo małym, ważącym niespełna półtora kilograma organie zmagazynowane są informacje, dla których przechowywania potrzebny byłby komputer wielkości co najmniej dwóch wieżowców Word Financial Center w Nowym Jorku. Człowiek żyje, pracuje, kocha, tworzy, tylko dlatego, że umożliwia mu to budowa mózgu. Używany przez całe życie bez chwili przestoju czy remontu, nie psuje się i nie zużywa, mimo że tak niewiele potrzeba, żeby stanął. (…) Mózg magazynuje, przetwarza i wykorzystuje informacje (około 30 mld na godzinę) oraz zarządza całością fizjologicznego funkcjonowania organizmu”.

Wiem, że trudno wyobrazić sobie procesy, których nie widać. Dlatego weźmy przykład z codziennego, najzwyklejszego życia. Co jakiś czas nie mogę nadziwić się niby powszechnemu, ale dającemu przecież do myślenia, zjawisku. Wracam z zakupów. Wsiadam do auta. Jadę. Słucham muzyki. Myślę. O tym i owym. O tym, co było, jest i będzie. Po jakichś 20 – 25 minutach (tyle zajmuje mi powrót z miasta na „moją" wieś) zatrzymuję się pod garażem. Bezpiecznie dotarłam do celu. I wielokrotnie wtedy zdaję sobie sprawę, że tak się zadumałam, iż nie bardzo rozumiem, jak to się stało. Przecież na drodze był ruch i zdaje się, że wcale niemały. Przecież prosto w oczy świeciło słońce. Ktoś spieszący do autobusu przebiegał drogę. Na ostatnim (jednym z dwóch w naszej miejscowości) skrzyżowaniu musiałam poczekać. Tu prawie zawsze jest spory tłok.

To takie panowanie nad sytuacją, bez specjalnego angażowania się. Wiem, można to nazwać nieświadomą kompetencją[1]. Jak by tego najmądrzej nie definiować, to przecież zasługa ćwiczeń, a więc współpracy umysłu i ciała. To wykorzystanie przez ten absolutnie genialny narząd możliwości całej reszty. Czyż to nie wspaniałe?

A szybkie pisanie tekstu bez zerkania na klawiaturę?

A serce? To, które bije szybciej na widok kochanej osoby. Symbol miłości, odwagi i życia. Natchnienie artystów. „Fragment" człowieka chyba najczęściej rysowany. W wersji z przebijającą je strzałą malowany na murach, wiaduktach, drążony w drewnie, a nawet ryty w kamieniu. Z wrażenia potrafi wywołać pojawienie się motyli w brzuchu. One też ważne. I to jeszcze jak! Jednak podstawowe zadanie serca to pompowanie krwi do każdego, najmniejszego nawet zakątka ciała. Od czubka głowy po koniuszki dotykających ziemi palców. Często zastanawiasz się, jak to robi? Którędy?

---

[1] Nie wiem, że nie potrafię — nieświadoma niekompetencja.
Wiem, że nie potrafię — świadoma niekompetencja.
Wiem, że potrafię — świadoma kompetencja.
Nie wiem, że potrafię — nieświadoma kompetencja.

Zdajesz sobie sprawę z tego, że wszystkie Twoje żyły, tętnice i naczynia włosowate połączone ze sobą dałyby twór mierzący ponad 96 500 kilometrów? To mniej więcej tyle, ile dwie długości równika i jeszcze odległość z Amsterdamu do Sydney. Z kolei powierzchnię znajdujących się w Tobie arterii porównuje się do dużego stadionu do gry w piłkę nożną. To zdecydowanie największy organ Twojego ciała. Niewiarygodnie olbrzymia sieć! Dlatego żeby żyć długo, zdrowo i szczęśliwie, potrzebujesz czystych, zadbanych „rurociągów". To nimi życiodajna ciecz „wiezie" do każdej komórki tak cenny „wikt". I tlen. Wszystko po to, by człowiek mógł czuć, rozmnażać się, trawić, zdobywać góry, a kiedy trzeba… uciekać.

A co z wątrobą? Centrum logistyczne zawiadujące trudną do wyobrażenia liczbą bardzo skomplikowanych procesów. Nie bez powodu w medycynie chińskiej nazywana „generałem armii". U nas mówi się, że to zakład chemiczny albo największe i najbardziej precyzyjne laboratorium świata. Zdaje się, że po raz pierwszy określił ją tak rosyjski fizjolog, noblista z 1904 r., Iwan P. Pawłow. Z kolei niemiecki terapeuta Gerhard Leibold pisze o niej m.in. jako o wyjątkowej „fabryce narzędzi".

A mięśnie, stawy i kości? Te, które w mgnieniu oka pozwalają podbiec i rzucić się na szyję ukochanej osobie. Te, dzięki którym mkniesz rowerem, prowadzisz samochód, tańczysz, skaczesz przez płot, pływasz i klęczysz.

Kości to nie tylko utrzymujący Cię w pionie „stelaż". To również swego rodzaju „hurtownia materiałów budowlanych" (m.in. magnezu i wapnia) i „przedsiębiorstwo" produkujące krew.

A skóra? Często myślisz o niej jak o jednym z wielu organów? To aż 20 000 cm kwadratowych! Pokrywa całe ciało. Nawet oczy.

Całą dobę pracuje nad tym, aby Cię chronić. Pełni rolę Twojej, wystawionej na działanie wielu żywiołów, zbroi. Do tego, jak szybko potrafi się regenerować, zdążyliśmy się przyzwyczaić. Ale czy nie jest to niezwykłe? Jeśli zranisz się niezbyt głęboko, oparzysz czy uderzysz, wiesz, że wkrótce jej stan wróci do normy. Spodziewasz się tego jak... dnia po nocy. Tak zawsze było, jest i będzie. Dla Ciebie to oczywiste. Ale czy nie genialne?

Wspomniana już Iwona Majewska-Opiełka pisze też o amerykańskim chirurgu onkologu z kliniki w New Haven i wykładowcy na Uniwersytecie Yale. Dr Bernie Siegel mówi o sobie tak: „Jestem mistykiem nie mimo to, że jestem chirurgiem, ale właśnie dlatego, że nim jestem. Codziennie oglądam cuda. Ciało wie więcej niż ja. Ja nie wiem, dlaczego rany się goją i jak działa anestezja. Nikt tego nie wie".

Kiedyś, od jednej z osób, która kilka lat temu zgłosiła się po poradę, otrzymałam SMS-em wierszyk. Mimo że od tamtego momentu upłynęło sporo czasu, ciągle o nim pamiętam. Nie jest to poezja wysokich lotów. Ot, zwykła rymowanka, ale dająca do myślenia.

Ludzie mówią „Cudów nie ma!"...

Moje zdanie na ten temat jest odmienne, bo uważam,
że się wiele cudów zdarza...

Bo czyż nie jest cudem właśnie, że gdy ktoś wieczorem zaśnie,

w snach swych widzi obce kraje, chociaż w łóżku pozostaje?

Nikt się nie spodziewa chyba, że się zrośnie zbita szyba,

Lecz gdy kości się zrastają, ludzie to za normę mają.

Gdyby rysa na lakierze sama znikła, mówiąc szczerze,
cud to byłby!

Z ręki rana jakimś cudem znika sama...

Choć nie myślisz o tym wcale, twoje serce bije stale
i to też jest cud prawdziwy,

że się rano budzisz żywy...

Cudem też jest życia trwanie i chodzenie, oddychanie.
To, że z dwóch komórek małych może powstać człowiek cały!
Mamy więc na każdym kroku moc codziennych cudów wokół.

A co ze zmysłami? Zdarza Ci się, czując określony zapach, przypomnieć sobie konkretne obrazy z dzieciństwa? A wraz z nimi radość i cudowną beztroskę? Nie dalej jak dziś, jadąc rowerem przez sosnowy zagajnik, zobaczyłam obraz sprzed ponad czterdziestu lat. (Czas naprawdę szybko płynie!). To wyprawa na grzyby w czasie wakacji spędzanych u babci. Las, do którego wjeżdżało się wcześnie rano (jeszcze przysypiając po wieczornych skokach ze sterty siana) wozem zaprzężonym w konie. Tamten pachniał bardzo podobnie. Od razu widzę te piękne kapelusze dorodnych maślaków. Z przytwierdzonymi do nich pojedynczymi igłami, które pewnie opadły z drzew ostatniej nocy. I wiesz co? Przez chwilę poczułam się prawie tak młodo jak wtedy!

W czasie porannego joggingu na ścieżce przylegającej do lasu dopada mnie zapach kwiatów czarnego bzu. I natychmiast wracam do momentu, kiedy miałam z 11, może 12 lat. Był to czas samodzielnego zarabiania pierwszych pieniędzy! Pewnie niewielkich, które jednak wtedy wydawały się majątkiem. W jaki sposób? Skrzykiwałam okoliczne dzieciaki i całą gromadą wyprawialiśmy się pomiędzy czwartą a piątą rano na zbieranie ziół. Tak wcześnie, żeby już o szóstej zawieźć je do prowadzonego przez Herbapol skupu. To przecież tylko zapach wydawany przez jedną roślinę, a pojawiają się twarze, zdarzenia, tamte przeżycia, emocje. Z pewnością Ty również masz podobne skojarzenia. A kiedy słyszysz melodię z czasów pierwszej miłości? Prawda, że robi się miło?

Widzisz już, jak niebywałą jesteś doskonałością?

Według jednej z filozofii wschodnich nasze ciało jest… świątynią. Nie wiem, jakie są Twoje (bez względu na wyznanie, wierzenia bądź ich brak) najbardziej osobiste skojarzenia z tym przybytkiem kultu religijnego. Mnie przychodzą na myśl: szacunek, podziw, respekt, zachwyt, troska, miłość...

Wyobrażasz sobie, jak wspaniale byśmy się czuli, gdyby nasze własne ciała były traktowane w taki właśnie sposób? Przypuszczam, że korytarze przychodni świeciłyby pustkami, a i szpitali potrzebowalibyśmy dużo, dużo mniej. Rację bytu miałyby chyba jedynie oddziały położniczo-noworodkowe, no i na wypadek jakichś zdarzających się co niektórym „turbulencji" te (z doskonałym sprzętem i wysokiej klasy chirurgami) zajmujące się doprowadzeniem człeka do stanu „sprzed".

Ciało świątynią. Prawda, że ma to sens? Przecież to siedziba ducha i intelektu!

Dlatego zamiast przeszkadzać własnemu organizmowi, pomagaj mu. Każdego dnia. Każdej nocy. Nie wrzucaj w niego wyłącznie tego, co akurat masz pod ręką. Bo najtaniej, bo najszybciej, bo wygodnie. Zrezygnuj z antyżywności. Zainteresuj się pożywieniem, które ma Cię karmić i odżywiać, a nie truć. Dzięki niemu poprawisz nastrój. Łatwiej poradzisz sobie ze stresem. Zyskasz więcej energii. Uporasz się z bólem głowy. Wirusy i bakterie zapomną o Tobie, więc pożegnasz się z przeziębieniami. Jeśli czasami zdarzy się infekcja, poradzisz sobie z nią znacznie szybciej niż dotychczas. Ułatwi Ci to dobrze odżywione ciało.

Dowiedz się, co pomaga Twojej fantastycznej konstrukcji, a co jej szkodzi. Pij dobrą wodę. Przestań zarywać noce. Wysypiaj się. Unikaj towarzystwa, które Ci nie odpowiada. Nie pozwól, by ktoś, kto Cię irytuje, nie wnosi w Twoje życie żadnej wartości i być może trwoni Twoje naturalne zasoby, zabierał Twój czas. Spędzaj go z ludźmi o podobnych zainteresowaniach i celach. Znajdź kogoś, kto ma osiągnięcia w interesującej Cię dziedzinie. Spotykaj się z nim. Ucz się. Czerp pełnymi garściami. To rozwija, a Ty przecież jesteś kimś wyjątkowym! Doceń to i wykorzystaj. Pamiętaj, że ktoś mądry powiedział: „Kto szuka towarzystwa kur, nie poszybuje jak orzeł".

Jeśli zakochujesz się w kimś, starasz się mu nieba przychylić. Ponadto rozkwitasz. Piękniejesz w oczach. Niezależnie od tego, czy masz koło siebie obiekt swoich westchnień, teraz postępuj identycznie ze sobą. Przychyl nieba swemu sprzymierzeńcowi. Troszcz się o niego. O tego jedynego, z którym nigdy się nie rozstajesz. Każdej doby spędzasz z nim 24 godziny, czyli 1440 minut lub jak wolisz, 86 400 sekund. Od pierwszej do ostatniej chwili. Całe życie!

Własne ciało ma Ci pomagać, a nie szkodzić. Od zawsze robi i jeszcze dużo zdziała dla Ciebie. Ale żeby mogło funkcjonować bez zarzutu, potrzebuje wsparcia. Do tej pory znosiło Twoją ignorancję. Musiało sobie z nią radzić. Ale już wystarczy! Od dziś zacznij spełniać jego życzenia. Wychodź naprzeciw jego oczekiwaniom. To się opłaca, bo ono odwdzięcza się co najmniej w trójnasób.

Dziś przy kolacji nasze córki zapytały o rozdział, nad którym aktualnie pracuję.

Kiedy usłyszały, że o zakochaniu się w sobie, natychmiast niemal równocześnie wykrzyknęły: „To tak jak Bob Proctor i Lisa Nicholas!". Pamiętasz? To współautorzy słynnego niemal na całym świecie *Sekretu*. Nasze dzieci żartują, że znają tę książkę na pamięć.

Bob i Lisa, zarówno w książkowym bestsellerze, jak i w filmie, dają wyraz miłości do swoich ciał. Całowanie własnej ręki przez Boba jest zabawne i dla nas dość niebywałe. Zdarzyło Ci się widzieć, jak Twój znajomy, sąsiad czy przyjaciółka koleżanki autentycznie i szczerze zachwyca się swoim „opakowaniem"? Mówi o nim z miłością? Okazuje mu wdzięczność za wszystko, co dla niego czy dla niej robi? Dla nas, zwłaszcza tych starszych Polaków (mamy w sobie więcej z Ani niż z Megan), ta książka jest jak z innego świata. Myślę jednak, że do raz przeczytanej warto często wracać. Zupełnie inaczej jest już z naszymi dziećmi, od małego utwierdzanymi w przekonaniu, że są mądre, wspaniałe, a świat stoi przed nimi otworem.

Doceń siebie i swoje atuty. Przychyl nieba własnemu ciału. Należy mu się Twoja uwaga i szacunek. Powiem więcej: dużo uwagi i nie mniejsza porcja szacunku. Jeśli obdarujesz je tym, czego potrzebuje, szybko poznasz jego wdzięczność. Dlatego nalegam: ZAKOCHAJ SIĘ W SOBIE! Czy teraz Twoja motywacja do dbania o własne ciało jest większa? Bardziej prawdziwa?

3

Dowiedz się, zanim zaczniesz

Otyłość niejedno ma imię

Imię jak imię. Z pewnością jednak niejedną przyczynę.

Skoro jesteśmy przy otyłości i jej młodszej siostrze, nadwadze, chciałabym zwrócić Twoją uwagę na to, że nie zawsze są one konsekwencją przejadania się. Myślę, że warto o tym pamiętać, zanim pochopnie posądzi się o nieumiarkowanie w jedzeniu osobę, której ciało odbiega od ideału propagowanego przez wyjątkowo pod tym względem bezlitosne media. W poprzedniej książce pisałam o tzw. tyciu z... powietrza (co może się przydarzyć zwłaszcza osobom z grupą krwi A).

Wielu ludziom, zwłaszcza tym o nienagannej sylwetce, nader często zdarza się wypowiadać różne obiegowe, niekoniecznie mające potwierdzenie w praktyce, mądrości. Te niestety rzadko pomagają. Zdecydowanie częściej boleśnie ranią. Na potwierdzenie tego przykład z życia wzięty.

Kilka lat temu rozmawiałam z kobietą, która opowiedziała mi swoją niezwykle smutną historię.

W pierwszej ciąży przytyła 40 kg (ja, jak już wcześniej wspominałam, „tylko" 32). Po rozwiązaniu waga nawet nie drgnęła. Ponieważ niemal natychmiast pojawiły się poważne problemy ze zdrowiem, zaordynowano jej trwającą kilka lat kurację hormonalną. Jako że kłopotów zamiast ubywać, ciągle przybywało, otrzymała również zalecenie długotrwałego stosowania Encortonu. Takie połączenie zaowocowało zwiększeniem wagi o kolejnych... 40 kilogramów! Jakby problemów było nie dość, w krótkim czasie straciła całe uzębienie. Jak się okazało, i to nie było jeszcze najgorsze. Mąż z poprawnego partnera (żenił się z piękną, o 14 lat młodszą od siebie dziewczyną), jak powiedziała moja rozmówczyni, stał się potworem. Koszmar kolejnych lat przyniósł ciężką postać wyjątkowo złośliwego raka.

Mimo że w swoim życiu miała zdecydowanie więcej cierpienia niż radości, postanowiła, że się nie podda. Właśnie wtedy spotkałyśmy się po raz pierwszy. Od tego momentu minęło ponad sześć lat. Mimo że dobrze sobie radzi, ciągle spotyka na swej drodze tych, którzy przecież o to nie pytani, komunikują jej, że jest zbyt gruba. Potrafi już z tym żyć. Niestety nie może powiedzieć, że jest jej to obojętne. Myślę, że to bardzo delikatnie powiedziane. Tak naprawdę ta kobieta bardzo cierpi. A przecież nie wyjada z lodówki czy spiżarni tych, którym jej sylwetka się nie podoba! Nie wiem jak Ty, ale ja uważam, że trzeba być bardzo ostrożnym w wyrażaniu opinii na temat czyjegoś wyglądu. Zwykle nie mamy pojęcia, przez co ta osoba przeszła. W dodatku przecież w życiu każdego z nas różnie bywa (raz na wozie, raz pod wozem) i niejedno może się zdarzyć.

Jedna z zaprzyjaźnionych osób ostatnio zwierzyła mi się, że potrafi powiedzieć do dużo młodszego od siebie człowieka: „Ja młoda już nie będę, ale ty się zestarzejesz". Kiedy jest się w pełni sił, tryska się urodą, trudno przyjąć to do wiadomości. Ale przecież to tak oczywiste jak fakt, że kiedy skończy się dzień, zajdzie słońce, a nazajutrz znów wstanie. Warto wziąć to pod uwagę, zanim wyrazimy swój pogląd na temat czyjejś fizjonomii.

Jak się to nazywa?

Może właściwym określeniem będzie, coraz rzadziej już spotykana... miłość bliźniego?

Otyli są niedożywieni

Problem niedożywienia ludzi otyłych poruszałam już w książce *Zdrowie masz we krwi*. Niemniej uważam, że skoro na łamach tego opracowania zajmujemy się działaniami prowadzącymi do redukcji wagi, i tu warto o tym wspomnieć.

Termin „niedożywienie" ciągle jeszcze zbyt często jest błędnie kojarzony wyłącznie z niedostatkiem czy biedą. Tak rzeczywiście było kiedyś. Jednak w ostatnich latach, w krajach tzw. cywilizowanych, to już stan niezależny od statusu społecznego czy majątkowego. Nie tylko niezależny, ale coraz częściej spotykany w środowiskach, w których bardzo trudno dopatrzyć się innych niedoborów poza tymi w zakresie wartościowych składników odżywczych. Nic zatem dziwnego, że na określenie nowych zjawisk czy tendencji (wolałabym nie traktować ich w kategoriach trendów) pojawia się także niestosowane dotąd nazewnictwo. Stosunkowo nowym sformułowaniem jest „niedożywienie wynikające z nadspożycia".

Podczas prowadzonych wykładów, a także w rozmowach z osobami zwracającymi się po poradę, zdarza mi się mówić, że w Polsce nie ma ludzi otyłych. Możesz pomyśleć, że nie jest to prawdą.

Masz oczywiście rację. Jeśli jednak ma się porównanie ze Stanami Zjednoczonymi, to duży odsetek rodzimych przypadków otyłości jest się skłonnym traktować raczej w kategoriach nadwagi.

Pamiętam, że tuż po powrocie, pytani (byłam tam z Mężem) o wrażenia z podróży po USA (stany: Nowy Jork, Nevada, Arizona, Utah i Kalifornia), zwykle zaczynaliśmy od tego, co zrobiło na nas zdecydowanie największe wrażenie. Nie nowojorskie drapacze chmur, nie wyjątkowej urody parki narodowe na Zachodnim Wybrzeżu, nawet nie dziwne miasto z ogromną liczbą dość szczególnych atrakcji, jakim jest Las Vegas. Niestety najbardziej szokowali nas mijani na ulicy monstrualnych rozmiarów ludzie. Zapadli w naszą pamięć niezwykle mocno. Do tej pory, kiedy pomyślę o tamtej podróży, pierwsze skojarzenie to para spotkana na wyspie Alcatraz. On i ona byli tak potężni, że przez chwilę zastanawiałam się, czy to, co widzę, dzieje się naprawdę. Jestem przekonana, że żadna z osób o rozmiarach na szczęście jeszcze nie do wyobrażenia w Polsce nie cierpiała szczególnej biedy. Z pewnością jednak ci ludzie byli niedożywieni. A ich stan wynikał właśnie z nadspożycia.

Niestety nie jest to już jedynie osobliwość Ameryki Północnej. I w naszej części świata z roku na rok przybywa ludzi otyłych. Coraz więcej tego typu niepokojących wieści napływa z Wysp Brytyjskich. Statystyki podają, że na nadwagę lub otyłość w krajach UE cierpi około 50% dorosłych. Problem ten niestety coraz częściej zaczyna dotyczyć również dzieci. Ponad 21 milionów ma znaczną nadwagę i co roku przybywa kolejnych 400 tysięcy. Sama liczba niewiele mówi. Zmienia się to, kiedy wyobrazimy sobie, że tyle właśnie mieszkańców kilka lat temu (dokładnie w 2005 r.) liczył Szczecin. Jeśliby zebrać w jednym miejscu europejskie dzieci, które tylko w ciągu ostatnich dwunastu miesięcy stały się otyłe, zasiedliłyby w całości miasto wielkości Szczecina! Przecież to potencjalne ofiary zawałów, udarów i nie tylko. I to nie dopiero w podeszłym wieku, ale dużo, dużo wcześniej.

Przerażające, prawda? To, że w dużej mierze będą leczone ze środków generowanych przez osoby dbające o siebie, to już zupełnie inna historia.

Możesz pomyśleć: „Zaraz, zaraz, przecież miało być o niedożywieniu. Co to ma wspólnego z tymi, którzy jedzą zbyt dużo?". No właśnie! Zbyt dużo nie tego, co potrzeba. Tego, co zamiast odżywiać organizm, systematycznie go zatruwa i ograbia ze składników koniecznych do prawidłowego funkcjonowania, a dzięki temu zdrowia. Mimo wielu naturalnych mechanizmów służących do neutralizowania i wydalania toksyn, stanowiących swego rodzaju standardowe wyposażenie człowieka, organizm często przestaje sobie radzić. Żeby mimo wszystko przetrwać, musi zrobić coś z nadmiarem trucizn. Jednym ze sposobów jest tworzenie pokładów tłuszczu.

To doskonałe miejsce na „poupychanie", a dzięki temu unieruchomienie tego, co mogłoby zaszkodzić sercu i innym organom, bez których życie przestałoby być możliwe.

Żeby uświadomić sobie to, co dzieje się w ludzkim ciele, kiedy przestaje być traktowane z należytą troską, warto obejrzeć (a może tylko sobie przypomnieć) dokument sprzed kilku lat, zatytułowany *Super Size Me — czy wiesz, co jesz?* To ten, którego reżyser, Morgan Spurlock, kładąc na szali własne zdrowie, 30 dni z rzędu żywił się wyłącznie daniami z McDonald's. Ten materiał filmowy jest świetnym dowodem na to, jak ogromnie ważna jest edukacja współczesnego człowieka w zakresie żywienia. Człowieka zbyt zajętego tysiącem przeróżnych mniejszych i większych codziennych spraw. Zajętego tak bardzo, że to, co najważniejsze, schodzi na dalszy plan. Czasami tak daleki, że w ogóle niezauważalny.

W wersji DVD (w dodatku do filmu) zaprezentowano proste doświadczenie z produktami zakupionymi w kilku barach oferujących dania typu fast food. Polegało ono na włożeniu ich do oddzielnych szklanych słojów i obserwacji, co się stanie w miarę upływającego czasu. Najciekawszym spostrzeżeniem było to, że frytki kupione w restauracji McDonald's przeleżały 2 miesiące, nie pokrywając się nawet najmniejszym nalotem. Z pewnością wytrzymałyby znacznie dłużej, gdyby nie to, że przez pomyłkę zostały wyrzucone. Jeśli usmażone w głębokim tłuszczu po upływie dwóch miesięcy pozostały nietknięte przez ząb czasu, co dzieje się z nimi w organizmie? Czy jest on przystosowany do ich pełnego strawienia? W dokumencie został pokazany również ciekawy wynalazek. Mam na myśli tabletki pozwalające zerwać z nałogowym jedzeniem fast foodów, działające na podobnej zasadzie, jak znane wielu osobom pigułki, gumy czy plasterki mające przeciwdziałać paleniu.

Przyznam, że temat uzależnienia od wybitnie niezdrowego jedzenia zrobił na mnie niemałe wrażenie. Mówi się o tym coraz częściej i niby dziwić już nie powinno. Jednak nie ma jak przekonanie się na konkretnym i możliwie bliskim przykładzie.

Nasza starsza córka, będąc w drugiej klasie liceum, wzięła udział w uczniowskiej wymianie międzynarodowej. Po tygodniu pobytu za zachodnią granicą jej skóra na twarzy pozostawiała wiele do życzenia. Pierwsze słowa, które usłyszeliśmy po opuszczeniu przez nią autokaru wracającego zza Odry, to: „Marzę o dobrym jedzeniu. Dajcie mi warzyw". Ponieważ przypadła do serca wszystkim członkom goszczącej ją licznej familii (to rodzinny dom dziecka), została zaproszona również na wakacje. Mimo niewątpliwych korzyści wynikających z kontaktu z żywym językiem, ze względu na zagrożenia, jakie niesie dość specyficzna dieta, postanowiła zadowolić się jedynie tygodniem. Teraz już wiedziała, czego się spodziewać i oczekiwać, a na co liczyć raczej nie może. Żeby nie doprowadzić do sytuacji sprzed kilku miesięcy, przy okazji pobytu w dużym mieście wybrała się do tradycyjnej restauracji na sałatkę warzywną. Wielkie było jej zaskoczenie, kiedy kobieta przyjmująca zamówienie, zaskoczona jeszcze bardziej, powiedziała, że owszem, w menu taka potrawa figuruje, ale nie mogą jej przyrządzić. Nie są przygotowani na taką ewentualność. To dlatego, że tutaj nikt „tego" nie zamawia.

Ale to jeszcze nie wszystko. W ramach rewanżu zaprosiliśmy do siebie niemiecką znajomą naszego dziecka. Dużo później powiedziała, że sposób, w jaki była goszczona w Polsce, przerósł jej najśmielsze oczekiwania. Nie była nawet w stanie wyrazić swojego zachwytu i wdzięczności. Był to jedyny tydzień w jej życiu, w którym tak wiele osób robiło wszystko, by czuła się najlepiej, jak to możliwe. Tego jednak dowiedzieliśmy się dopiero po jakimś czasie. Natomiast owszem, na poważnie byliśmy zaniepokojeni tym, że dziewczyna ani razu się nie uśmiechnęła. Zapewniliśmy jej wiele interesujących i różnorodnych atrakcji. Z kolei jeśli chodzi o to, co trafiało na stół, nie tylko w domu, ale i w restauracjach, do których była zabierana, samo w sobie zachęcało nie tylko smakiem, ale i wyglądem. Wszyscy zachodziliśmy w głowy, o co chodzi. Przy kolejnych rarytasach, zawsze świeżo przygotowywanych (nigdy wcześniej nie jadła ciasta innego niż z folii, wprost ze sklepu, a jeśli zostało przyrządzone w domu, to wyłącznie z gotowego koncentratu), na jej twarzy ani razu nie pojawił się nawet cień uśmiechu.

Zastanawialiśmy się, dlaczego ten dzieciak przez siedem dni z rzędu ma kamienną twarz. Byliśmy tym już naprawdę zmęczeni. Po raz pierwszy w naszym domu zdarzyło się takie zachowanie gościa. Później dowiedzieliśmy się, że ona przez cały czas marzyła o śmieciowym jedzeniu. To było dla nas wszystkich niemałym wstrząsem. Kiedy minął pierwszy szok, przypomniałam sobie *Super Size Me — czy wiesz, co jesz?* Po tych doświadczeniach natychmiast pojęłam, że tabletki pozwalające zerwać z nałogiem fastfoodowym nie są przesadą. To już w niektórych przypadkach po prostu konieczność.

Kilka miesięcy temu miałam mocno wątpliwą (ze względu na przebieg spotkania) przyjemność uczestniczenia w ustaleniach (w zakresie menu) dotyczących organizacji balu gimnazjalnego. Mimo że staram się panować nad emocjami (choć dla „zerówki" czasami bywa to nie lada wyzwaniem), zdruzgotana ignorancją rodziców (właściwie nawet nie samą ignorancją, a jej skalą) w zakresie tego, co najbardziej w życiu bardzo młodego człowieka podstawowe, zmuszona byłam opuścić salę.

Z relacji zaprzyjaźnionej osoby wiem, że przed wyjściem mocno pobladłam.

Przemierzając szkolny korytarz, zastanawiałam się, dlaczego rodzice na niemal każdym zebraniu pomstują, że ich dzieci nie chcą się uczyć, że nie potrafią się dłużej na niczym skupić, że nie są niczym prawdziwie zainteresowane, że na porządku dziennym jest agresja, no i oczywiście, że… kiedyś tak nie było. A odpowiedź na to pytanie, choć pozornie złożona, jest bardzo prosta. Jej pierwsza część powinna brzmieć następująco: Skoro ograbiona z wartości odżywczych pizza i farbowane chemią zimne gazowane napoje, z niewiarygodną ilością cukru bądź, co gorsza, aspartamem, a często i toksycznym bromem, stały się dla tych dziewcząt i chłopców chlebem powszednim, nic się nie zmieni. I na pewno nie będzie lepiej. Co najsmutniejsze, nie mając właściwych wzorców, przekażą to swoim następcom. One już dalej niekoniecznie, bo w dużej części będą miały problem z poczęciem dzieci w ogóle, a zdrowych w szczególności.

Niekiedy można usłyszeć, że aby się kształcić, potrzeba pieniędzy. Rzeczywiście, wiedza kosztuje, choć często głównym kosztem może być zaangażowany w jej pozyskiwanie czas i chęci. Ale warto zdać sobie sprawę z tego, że znacznie więcej kosztuje... brak wiedzy. Świetnie ilustruje to powiedzenie niejakiego George'a Carlina: „»Śniadanie poniżej jednego dolara« w McDonald's faktycznie kosztuje dużo, dużo więcej. A to dlatego, że należy doliczyć do niego koszt wszczepienia by-passów".

Niedawno słyszałam od znajomej o radości mamy pewnego chłopca w wieku szkolnym, spowodowanej tym, że po drugiej stronie ulicy, w pobliżu ich domu stanie kolejna restauracja oferująca dania typu fast food. Któryś z produktów tej sieci jest szczególnym przysmakiem jej dziecka. Powodem świetnego samopoczucia rodzicielki jest perspektywa, że... daleko nie będzie musiało chodzić. Gdyby wyłączyć myślenie, można by uwierzyć, że ruch szkodzi. Przerażające jest, że matka tyjącego w zastraszającym tempie dzieciaka zupełnie nie kojarzy, iż ma to związek z drastycznym spadkiem odporności jej syna, coraz większą nadpobudliwością i wyraźnymi symptomami... cofania się w rozwoju. Nie zauważyła, że jego pożywienie, za jej entuzjastycznym przyzwoleniem, zostało zastąpione paszą. Mimo że powód problemów zdrowotnych widać gołym okiem, wydaje majątek na skomplikowaną diagnostykę i zastanawia się, dlaczego los tak strasznie ją pokarał. I oczywiście narzeka na niesprawiedliwość tego świata. No cóż... WIEDZA KOSZTUJE, ALE JEJ BRAK ZNACZNIE WIĘCEJ.

Może myślisz, że już nie da się zawrócić z drogi, na którą niepostrzeżenie weszło się dawno temu i już się na niej zostało. Posiłek, który kiedyś był obiadem, coraz częściej jest zastępowany wątpliwej jakości odżywczej lunchem. Mimo iż masz świadomość, że jak mówi ciekawy dokument dostępny w internecie, *Jedzenie ma znaczenie* (obejrzenie go bardzo polecam), „zupę przygotowaną z »prawdziwych« warzyw jadasz coraz rzadziej. W wielu przypadkach to już rarytas zarezerwowany na czas świąt spędzonych w domu rodzinnym. W dodatku już nie wyobrażasz sobie funkcjonowania bez mikrofalówki".

Chcesz znać moje zdanie w tym względzie? Uważam, że ciągle masz wybór. Każdego dnia każdy z nas staje przed mnóstwem małych i dużych wyborów. To samo dotyczy pożywienia. Prawdą jest to, że prawdziwe, czyli pełnowartościowe, jest coraz mniej dostępne, ale nadal mamy wybór. Może warto zjeść mniej, ale tego, co odżywia, a nie doprowadza do destrukcji. Powiedzenie „jesteś tym, co jesz" jest stare jak świat. Im dłużej on istnieje, w tym większej liczbie modyfikacji funkcjonuje ten slogan. Ostatnio coraz częściej można natknąć się na jedną z jego bardziej drastycznych wersji: „Jesz śmieci, jesteś śmietnikiem!". Smutne, ale niespecjalnie da się z tym dyskutować. Optymistyczne jest to, że jeszcze można to odwrócić. Jeśli ludzie przestaną jeść śmieci, przestaną pełnić rolę pojemników na nie.

Żeby uchronić swoją rodzinę przed anomaliami opisanymi powyżej, warto poświęcić nieco czasu i uwagi na zagłębienie się w potrzeby własnego organizmu. W to, bez czego może się obejść, i jak to, co dostaje każdego dnia, wpływa na jego stan. Zdrowy organizm to organizm właściwie odżywiony. Taki, który na bieżąco otrzymuje wszystko, czego mu potrzeba.

A co z tym niedożywieniem? Problem polega na tym, że do rozprawienia się z jedzeniem, które ma zostać strawione, nie wystarczy nóż i widelec. Ciało do przeprowadzenia koniecznych reakcji (również strawienia i wykorzystania tego, co zostało zjedzone) potrzebuje czegoś znacznie ważniejszego. Chce witamin, minerałów i enzymów. Jeśli tego nie dostanie, sięgnie po ich niewielkie zapasy, odłożone na tzw. czarną godzinę. Jeżeli zużyje wapń, nie można liczyć, że kości będą zdrowe i silne. Słabych kości przynajmniej przez jakiś czas nie widać, ale zęby owszem. Odpowiednia ilość dobrze przyswajalnego wapnia to prawidłowa praca serca, ochrona przed rakiem, artretyzmem, właściwie metabolizowane żelazo, nogi niemaltretowane skurczami, piękne włosy, paznokcie i skóra. Jeśli organizm

wyczerpie magnez, możesz spodziewać się wszystkiego, co najgorsze, ze strony układu nerwowego. Ponadto także kamieni żółciowych i nerkowych, wysokiego ciśnienia krwi, problemów hormonalnych i zaparć. Jeżeli zabraknie dość trudnego do pozyskania, ale bezwzględnie koniecznego do prawidłowej pracy mózgu manganu, można oczekiwać nie tylko drażliwości, zmęczenia, słabej pamięci, bezwładu ruchowego (!), ale i schizofrenii, a w późniejszym czasie jednej z najtrudniejszych chyba ostatnio i niestety coraz bardziej powszechnej, u coraz młodszych ludzi, choroby Alzheimera.

To zaledwie trzy dość pobieżnie potraktowane substancje spośród ponad pięćdziesięciu absolutnie koniecznych, których organizm potrzebuje każdego dnia. Co się stanie, kiedy ich zabraknie i taki stan będzie się przedłużał? W tym miejscu warto przypomnieć, że natura nie uznaje próżni. Jeśli życiodajne pierwiastki zwolnią zajmowaną dotychczas przestrzeń, na ich miejscu szybko pojawi się to, czego w otoczeniu mamy w zdecydowanym nadmiarze, czyli toksyczne metale ciężkie. Mam nadzieję, że nie chcesz, aby zamiast wapnia czy magnezu w ważne reakcje zachodzące w Twoim ciele w każdej sekundzie wchodził... ołów.

Może warto jeść mniej, ale tego, co odżywia, a nie doprowadza do destrukcji? Świadomość negatywnych konsekwencji niedożywienia jest wciąż nikła, mimo że dotyczy wielu ludzi. To powinno się zmienić. Naukowcy biją na alarm, że nie jest dobrze. Bruksela tworzy ustawy i przepisy. Tony papierzysk, których przetworzenie ktoś będzie mógł przypisać sobie jako przejaw troski o zdrowie obywateli kontynentu i odebrać związane z tym gratyfikacje. Sprezentowano nam nawet Europejski Dzień Zdrowego Odżywiania. Co jednak z tego wynika dla człowieka takiego jak Ty i ja?

Nie jesteśmy w stanie zatrzymać postępu cywilizacyjnego. Nie przesiądziemy się nagle na furmanki zaprzężone w konie. Nie zrezygnujemy z lodówki. Nie będziemy też najprawdopodobniej wieczorami zagłębiać się w lekturę ciekawej książki przy świetle lampy naftowej. Za to zdecydowanie, ciesząc się poziomem życia, jaki stał się naszym udziałem, możemy wykorzystać dostęp do naprawdę wartościowej wiedzy. Trzeba tylko chcieć po nią sięgnąć, a pokarm zacząć traktować nie tylko jako środek do zaspokojenia głodu, lecz także jako miarę troski o ciało i wyraz miłości do samego siebie.

Kiedy się nie odchudzać?

Nie dalej jak kilka dni temu miałam telefon od bardzo dobrej znajomej. Mimo dość późnej pory musiała podzielić się pewną wiadomością.

Otóż dowiedziałam się, że kobieta, którą znam z opowiadań, przez całych długich dwadzieścia lat była leczona na chorobę Parkinsona. Z roku na rok było coraz gorzej. W dodatku mimo że jadła naprawdę niewiele (w co trudno było uwierzyć jej dorosłym, niemieszkającym z nią dzieciom), bardzo tyła. Ostatnio jej stan ciągle się pogarszał. Postanowiła uporządkować wszystko, na wypadek gdyby w najbliższym czasie miała odejść. Rozdysponowała również majątek. Z powodu jakichś kolejnych dolegliwości trafiła do innego niż zwykle lekarza. Poświęcił jej sporo czasu. Bardzo uważnie przyjrzał się wynikom badań. Przestudiował dotychczasowe zalecenia, po czym stwierdził, że według niego przyczyną jej bardzo złego samopoczucia jest zupełnie inny problem. Tak jak przypuszczał, to... niedoczynność tarczycy! Po dwudziestu latach udręki otrzymała to, co należało jej zapisać już dawno temu. Powoli zbiera się w sobie. I chyba znów ma się jej na życie.

Jak myślisz, czy gdyby bohaterka tej przerażającej historii w trakcie leczenia domniemanego parkinsonizmu uparła się, by się odchudzać (duża nadwaga bardzo utrudniała jej codzienne życie), miałaby szansę?

Z pewnością żadna choroba nie jest dobrym momentem na zrzucanie wagi, a wspomniana wyżej niedoczynność tarczycy (czy w ogóle jej niestabilność) w szczególności. Tarczyca kontroluje metabolizm, więc ma w organizmie bardzo dużo do powiedzenia. Na pewno nie służy jej ciągły stres. Nic więc dziwnego, że u coraz większej liczby naszych rodaków zaczyna się buntować. Warto pamiętać, że duży udział w diecie cukrów, kawy i alkoholu powoduje jej nadmierną stymulację. To z czasem może doprowadzić do wyczerpania gruczołu, czego efekt również da się przewidzieć. Znaczny przyrost masy ciała, który pojawi się w dość krótkim czasie (szczególnie w okolicy pasa, bioder i ud), może okazać się trudny do wyeliminowania.

Wiele leków przewlekle stosowanych powoduje tycie, więc każdą taką sytuację trzeba najpierw bardzo indywidualnie przeanalizować i rozważyć.

Dosłownie przed chwilą otrzymałam e-mail z niewiarygodnym wręcz opisem błędnego przebiegu leczenia osiemdziesięcioczteroletniego mężczyzny. Gdyby przesiadująca przy ojcu niemającym już kontaktu ze światem córka (nie lekarz!) nie przyjrzała się zapisywanym od kilku lat lekom, najprawdopodobniej finał byłby tragiczny. Jestem wstrząśnięta! Nie mogę pojąć, że coś takiego mogło zdarzyć się w jednej z największych i najpiękniejszych metropolii naszego kraju. I choć to nie interesujący nas na łamach tej książki temat, na gorąco, po przeczytaniu poruszającej historii, błagam: Czytaj ulotki każdego leku farmakologicznego! Zadawaj też wszystkie możliwe, nurtujące Cię pytania. A jeśli nie uzyskasz odpowiedzi, idź dalej i ich szukaj. Bo chodzi nie tylko o to, że niechcący możesz znacznie zwiększyć swoją objętość. Ale w ogóle o Twoje zdrowie, a nierzadko coś więcej.

Na redukowanie nadprogramowych kilogramów nie najlepszym momentem dla pań jest okres okołomenopauzalny. Podobnie (także u panów) z rekonwalescencją.

Chciałabym też przestrzec Cię przed zrzucaniem wagi w innym dość szczególnym przypadku. Wiele kobiet podejmuje się tego przede wszystkim po to, żeby komuś coś udowodnić. Decydują się na zredukowanie wagi dlatego, że oczekuje tego od nich mężczyzna. Czasami nawet nie oczekuje, a wręcz stawia warunek. Nie wiem jak Ty, ale ja o takich „dżentelmenach" myślę jak o jeszcze niedojrzałych, po których można się spodziewać, że po spełnieniu jednego postawią kolejny wymóg. A gdy zechcą, i tak zmienią obiekt swoich zainteresowań. Jeśli już chcesz komuś coś udowadniać, to tym kimś bądź po prostu Ty. Ty chciej poczuć się dobrze we własnym ciele.

Z pewnością wymienione wyżej okoliczności nie są wymarzone do tego, by pięknie szczupleć. Tyle że w tym poradniku stawiamy na właściwe postępowanie ze sobą, a dzięki temu na maksymalizację zdrowia. Nie ma tu mowy o niedojadaniu ani tym bardziej o głodzeniu się. A na prawidłowe postępowanie ze sobą każda chwila jest odpowiednia. Warto dbać o siebie dzień po dniu. Jeść możliwie najzdrowiej. Pić najlepszej jakości wodę (ideałem będzie ta o odczynie zasadowym). Pamiętać o ruchu i (co bardzo ważne) dobrym, zdrowym… myśleniu.

Prawdziwe kobiety są zaokrąglone

Nie bez powodu mówi się o tym, że oni pochodzą z Marsa, a one z Wenus. Różnice między jedną i drugą płcią są tak duże, że czasami mogłoby się wydawać, iż reprezentujemy dwa różne gatunki. Całe szczęście, że jest ktoś taki jak John Gray (ten od Wenusjanek i Marsjan). Zrobił naprawdę dużo dla zrozumienia tego, jak bardzo się od siebie różnimy.

Tu przyjrzymy się tylko niektórym naszym cechom szczególnym.

Kobieta jest oceniana najczęściej na podstawie urody i w ogóle wyglądu. Dlatego z upływem lat jej szanse jako wystarczająco atrakcyjnej partnerki maleją. U mężczyzny jest dokładnie odwrotnie. Liczy się kompetencja i doświadczenie. Nic więc dziwnego, że z wiekiem więcej zyskują, niż tracą. Stąd tak duże zainteresowanie nimi coraz młodszych kobiet.

Rozbieżności dotyczą również masy ciała. Nie powinno to dziwić, skoro i nasze życiowe role są zupełnie inne. A skoro tak, powinno być zrozumiałe to, że tyjemy również inaczej. Kobiety nie przez przypadek tu i ówdzie mają więcej. To po prostu sprawka natury. Wyposażyła nas tak, ponieważ większa ilość tkanki tłuszczowej jest konieczna dla zabezpieczenia dzieci noszonych w łonie matki. Mężczyźni z kolei potrzebują więcej kalorii. Tyle że (szczęściarze!) spalają je szybciej.

Jest jeszcze przynajmniej jeden powód, dla którego kobiety są bardziej narażone na tycie. Choć najlepsi kucharze to podobno mężczyźni, w zdecydowanej większości gospodarstw to właśnie nie kto inny jak strażniczki domowego ogniska więcej czasu kręcą się przy kuchni. Podobnie rzecz ma się z zakupami.

No i jeszcze ta presja społeczna! Ciągle jesteśmy poddawane ocenie środowiska: „Schudła. Znów przytyła! Dziś wyglądała nie najlepiej...". Nie jest to oczywiście ani trochę przyjemne. A że często nie możemy pozwolić sobie na inną formę odreagowania, żeby ukoić stargane nerwy, sięgamy po kolejne ciastko, kolejny batonik, kolejny puchar lodów z bitą śmietaną, a często i kolejną późną kolację.

Jeśli dorosła osoba płci żeńskiej maltretuje swoje ciało po to, by wyglądać jak młodsza nastolatka, może się zdziwić. Każda płeć i wiek ma swoje prawa, które nie tylko warto, ale i należy respektować.

Z racji kulinarnej pasji młodszego dziecka nasza domowa biblioteka szybko powiększa się nie tyle o książki kucharskie (te zwykle dostaje w prezencie), ile o biografie znanych kucharzy. Jedną z takich niezwykle ciekawych pozycji wydawniczych jest połączenie przepisów z historiami z życia autorki. Tę (*Apetyczna panna Dahl*) uwielbiam i często do niej wracam.

Autorka, która stoczyła ze swoją nadwagą niejedną bitwę, a i prawdziwych wojen w tym względzie nie zabrakło, pisze w niej m.in.: „Wierzę w umiarkowanie i równowagę (...). Uważam, że jeśli poświęcimy czas na spokojne uświadomienie sobie potrzeb naszych ciał, zamiast nieustannie skupiać się na tym, co jest z nimi nie tak, kwestia wagi przestanie przypominać walkę. (...) Proszę nie dajcie się nabrać na pociągające diariusze chudych jak patyki gwiazdek, które zarzekają się, że nie jedzą nic innego poza dziesięcioma migdałami i nudnym serkiem wiejskim na przekąskę. (...) Zwykle nie ma to nic wspólnego z rzeczywistością albo zostało wymyślone na użytek prasy. Ironia polega na tym, że ta sama gwiazdka, o której czytamy i której diety jesteśmy ciekawi, siedzi właśnie w samolocie i czyta kolorowy magazyn, myśląc tęsknie: *Boże, jak ja bym chciała wyglądać w bikini jak Gisele/Jessica Biel/Kate Hudson. Ciekawe, co ona je i kto jest jej dietetykiem/trenerem/chirurgiem... Muszę się dowiedzieć.* (...) Zdecydowanie za dużo czasu spędzamy, zamartwiając się tym, czego nam brakuje, a zaniedbując to, co mamy. Nasza uwaga zostaje odwrócona od tego, co naprawdę istotne.

W czasie mojej kariery i podróży spotkałam wiele kobiet o wyjątkowo pięknych ciałach, które nie są więźniarkami skąpych racji żywnościowych i dobrowolnej niedoli. (...) Są seksowne, chociaż niekoniecznie chude jak trzcina albo apetycznie pulchne. Poznałam kobiety ze środka i obu krańców tego spectrum. Ich wspólną cechą jest zamiłowanie do jedzenia i świadomość, że niezależnie od kształtów i rozmiaru ciała umieją je kontrolować. Umieją cieszyć się życiem. Spotkałam też wiele kobiet, które nieustannie się ograniczają i są godne pożałowania. Jest coś skrajnie nieprzyjemnego w życiu składającym się z samych ograniczeń; już samo słowo jest nieprzyjemne. Głodowanie nie jest seksowne. To krwawiące dziąsła, nieprzyjemny oddech, kruche kości, osteoporoza, bezpłodność i powikłania. Utrata i zanik. Seksowne jest za to zdrowe zamiłowanie do jedzenia, seksownie jest mieć dość energii, żeby baraszkować z ukochanym, wziąć dziecko na ręce, ugotować obiad dla przyjaciół, pobiegać albo powoli iść na targ. Seksowne jest poczucie spełnienia, poczucie, że ma się możliwości, że się żyje".

Prawda, że jest urocza? Dlatego jeśli jesteś kobietą (albo mężczyzną kobiety, która chce schudnąć), zanim zapadnie decyzja, że kilka czy kilkanaście kilogramów ma pójść precz, pamiętaj o jednej ważnej rzeczy. Jak mówi tytuł pewnego filmu: „Prawdziwe kobiety są zaokrąglone".

Co w ciele gra, co w trzewiach piszczy?

Zajmując się od lat profilaktyką, z prawdziwą satysfakcją obserwuję, że świadomość prozdrowotna ludzi, którym zależy na długim i co bardzo ważne, w pełni aktywnym życiu, systematycznie wzrasta. Ciągle jednak zdarzają się jeszcze osoby zaskoczone, że tłumacząc, jak pozbyć się problemu, tak dużo uwagi poświęcam organowi, jakim jest jelito.

Autorzy książki dotyczącej chorób jelita grubego i odbytu, zatytułowanej *Sekrety toalety*, piszą: „Wszystko ma początek i koniec, przewód pokarmowy także. Przyjmowanie pokarmów wyniesiono do rangi ważnego wydarzenia w życiu społeczeństwa — przyrządzanie potraw, rodzinne posiłki, wspólne biesiadowanie, stół i jego nakrycie to swoista celebra, istotna część kultury. Natomiast wydalanie... O tym się nie mówi, nie pisze, o tym cicho, tych tematów podnosić nie wypada. Tymczasem człowiek ma nie tylko »inteligentny« mózg, »romantyczne« serce, sprawne ręce, ale także, przemyślnie skonstruowaną przez naturę, odbytnicę".

Prawdą jest, że zaparcia, choć stały się zjawiskiem jak nigdy dotąd powszechnym, to jeszcze nadal temat wstydliwy. Wydaje się, że skoro problemu nie widać (niestety tylko pozornie!), można traktować go, jakby nie istniał. Chociaż nie ma się czym chwalić, wypada (nawet w czasie rodzinnych uroczystości) mówić o zapchanych naczyniach krwionośnych i dopiero co wszczepionych by-passach. Natomiast zapchane jelito, mimo że wcale nie mniej niebezpieczne, nie wydaje się już godne takiego zainteresowania.

Zamiast poszukać przyczyny nieświeżego zapachu ciała, ulegając reklamie, tłumi się go blokującymi wydzielanie potu antyperspirantami. Pryszcze traktuje się ciężkimi maściami sterydowymi, a kiedy na jakiś czas znikną, zapomina się o problemie. Gdy znów dadzą o sobie znać, najlepszym wyjściem po raz kolejny będzie maść i... antybiotyk.

O tzw. leniwym jelicie coraz więcej osób mówi: „Taka moja uroda". Z czym jak z czym, ale z urodą niewiele ma to wspólnego. Jelito, które nie radzi sobie z wydalaniem tego, co systematycznie powinno opuszczać ciało, jest jak, nie przymierzając, bomba z opóźnionym zapłonem. Nie wybuchnie wprawdzie od razu, ale wcześniej czy później taka eksplozja nastąpi. Niestety stanie się to w taki sposób, że niekoniecznie zostanie skojarzone z od dawna trwającym problemem.

Nie zaparciom jednak jest poświęcona ta książka. Dlatego poprzestanę jedynie na zwróceniu uwagi, że przystępowanie do odchudzania bez rozprawienia się z tego rodzaju występującą przewlekle anomalią nie ma większego sensu. Zmagania zmierzające do zredukowania wagi w takiej sytuacji nie są najlepszym pomysłem, bo mogą przypominać raczej walkę z wiatrakami.

Na szczęście coraz więcej osób zdaje sobie sprawę z tego, że jelito to korzeń życia.

Łatwiej to pojąć, jeśli wyobrazimy sobie drzewo, które po to, by rosnąć i rodzić piękne owoce, potrzebuje substancji odżywczych pobieranych z urodzajnej ziemi. Może je czerpać tylko wówczas, gdy ma zdrowe korzenie. Jeśli ich system nie będzie działał wystarczająco sprawnie, nawet na najbardziej zasobnej glebie drzewo może obumrzeć. Niemal identycznie ma się sprawa z jelitem. Tylko zdrowe, jest w stanie pobrać i zagospodarować z dostarczonego do układu pokarmowego pożywienia odpowiednią ilość życiodajnych składników. Bez sprawnie działającego jelita nie może być mowy o zdrowym ciele i... umyśle. Jeśli nie funkcjonuje jak należy, rozsiewa truciznę, która nie przysparza ani zdrowia, ani tym bardziej urody.

Niemal każdy wie, że po to, by przyspieszyć wydalanie niestrawionych resztek pokarmu, trzeba pić. Oczywiście nie wszystko. Najlepiej czystą wodę. Biorąc pod uwagę fakt, że nasze ciało to głównie woda, a w ciągu życia wypijamy jej jakieś 40 000 litrów, jej jakość nie powinna być nam obojętna. A skoro tak, zatrzymajmy się przy tym zagadnieniu chociaż przez chwilę.

Co do tego, że bez wody nie istniałoby życie na Ziemi, chyba nikt nie ma wątpliwości.

A co z nami, ludźmi? Rodzimy się, mając jej w ciele więcej niż 90%. Nasze komórki nie tylko mają wodę w sobie, ale i są w niej zanurzone. Woda, w której „pływają", to płyn międzykomórkowy. I choć może Cię to odrobinę zdziwić, krew to również w 90% woda. Za jej pośrednictwem do komórek docierają składniki odżywcze i tlen, a zabierane z nich i usuwane są pozostałości metaboliczne oraz dwutlenek węgla. Im jesteśmy starsi, tym zawartość wody w organizmie jest mniejsza. Wygląda na to, że... „wysychamy".

W wieku lat siedemdziesięciu tej życiodajnej cieczy mamy w sobie już zaledwie niewiele ponad 50%. Skoro wszystkie procesy zachodzą w wodzie, a jej ilość się zmniejsza, zwalnia również metabolizm. Jeżeli przepływ krwi nie jest już tak szybki, dostawa do komórek, tkanek i narządów tego, co ma odżywiać, również nie jest już tak sprawna jak wtedy, gdy organizm liczył sobie dużo mniej wiosen.

Co zrobić, by mimo upływu czasu i wielu innych czynników szkodzących zdrowiu wypijana woda mogła zapewnić Ci maksimum korzyści?

Całkiem niedawno jedna z naszych stacji radiowych podała w wiadomościach, że największą liczbą ludzi długowiecznych może poszczycić się Kraj Kwitnącej Wiśni. I nie chodzi tu o pojedyncze przypadki. To już kilkanaście tysięcy osób, z których najstarsze mają po 115 lat. W dodatku wiek godny pozazdroszczenia wcale nie oznacza niedołężności. Jak to możliwe w czasach, kiedy tak ogromne żniwo zbierają najróżniejsze postaci chorób serca i układu krążenia? Jak to możliwe w czasach, kiedy choroba nowotworowa panoszy się jak nigdy dotąd? Wreszcie, jak to możliwe, kiedy wiele państw nie radzi sobie z otyłością i jej wszystkimi konsekwencjami wśród dużej liczby swoich obywateli? Na czym polega ten swego rodzaju fenomen? Co też takiego robi się w Japonii, czego nie robią ludzie w innych „cywilizowanych" częściach naszego globu?

To, co wiadomo na pewno, to nie tylko fakt, że życie zgodne z grupą krwi (nie tylko dieta) jest dla Japończyków zwyczajnie naturalne. Wiadomo również, że podstawą ich pożywienia są dobre tłuszcze (więcej o nich w podrozdziale „Najczęstsze błędy popełniane przez odchudzających się"). Wiemy także, że chlebem powszednim dla co piątej rodziny w Japonii jest woda alkaliczna. W tym kraju w każdym następnym roku grono użytkowników wody jonizowanej powiększa się o kolejny milion.

Niezaprzeczalna wartość wody alkalicznej dla zdrowia jest oczywista również dla mieszkańców Korei Południowej. W obu tych krajach woda ta została już zaakceptowana jako środek pomocny w leczeniu wielu chorób. Świadomość jej znaczenia dla zdrowia jest tak wielka, że w niektórych szpitalach zarówno woda alkaliczna, jak i kwaśna (będąca odpadem w procesie wytwarzania tej pierwszej) zostały włączone do stosowania w zastępstwie niektórych drogich leków, między innymi tych o działaniu antybiotycznym.

Moja fascynacja możliwościami, jakie daje woda alkaliczna (zwłaszcza w kontekście zapobiegania chorobom), rośnie z tygodnia na tydzień, więc mogłabym opowiadać o tym dużo i długo. Zwłaszcza że na sobie samej obserwuję wymierne efekty, wynikające z jej włączenia do codziennego życia. Wróćmy jednak do odchudzania...

Jedna z najnowszych szkół (jej zwolennikami są m.in. Robert O. Young i Shelley Redford Young) mówi, że główną przyczyną nadwagi i otyłości jest zakwaszenie. Według niej najważniejszym zadaniem jest utrzymanie w organizmie odczynu zasadowego. Jeśli tak się stanie, niepotrzebne komórki tłuszczowe, a wraz z nimi nadmierne pokłady tego, co zwykle traktujemy jako zbędne, znikną na zawsze. Posiadanie zdrowego i pięknego ciała jest możliwe. I to bez względu na wiek.

Jak wiadomo, od samej teorii schudnąć trudno. Dlatego zastanówmy się, co to oznacza w praktyce? A ta wydaje się być naprawdę prosta. No, może stosunkowo prosta.

Organizm potrzebuje dużych ilości dobrych tłuszczów i nade wszystko warzyw, zwłaszcza tych zielonych. I czegoś jeszcze. Przyczyną nadwagi i otyłości jest kwas. Mnóstwo kwasu! Ale co on ma wspólnego z tym, co tak potrafi zatruć życie? Jaki jest jego związek z wałkami tłuszczu, które tak wiele osób musi dźwigać przez 24 godziny każdej doby? Co te dwa elementy mają ze sobą wspólnego?

Okazuje się, że owszem, mają, i to bardzo dużo!

Produkcja kwasów jest procesem naturalnym, a organizm potrafi sobie z ich wydalaniem radzić. Wyprowadza je przez układ moczowy, jelito i skórę. Typowy dla społeczeństw zachodnich sposób żywienia (dania typu fast food, produkty rafinowane, potrawy smażone, używki, napoje z dużą zawartością cukru, aspartamu, toksycznego bromu, w dodatku barwione) będący bardzo istotnym elementem stylu życia skutkuje ogromną nadprodukcją kwasów. Część z nich zostanie wydalona, ale resztę trzeba zobojętnić. Problem polega na tym, że nie ma czym tego zrobić. Ponieważ nadmiar kwasów doprowadza komórki do rozpadu, którego konsekwencją są uszkodzenia tkanek i narządów, organizm nie ma innego wyjścia, jak przeciwdziałać zniszczeniu.

Jak to robi?

Otóż żeby ochronić człowieka przed zgubnymi skutkami zakwaszenia, tworzy... tłuszcz. Całe pokłady tłuszczu pełniące w tej sytuacji rolę swego rodzaju „pojemników" na nadprogramowy kwas. Podobno zjawisko to oglądają na co dzień chirurdzy plastyczni wykonujący zabiegi odsysania. Potwierdzają, że tłuszcz, z powodu zawartych w nim kwasów, ma zabarwienie brązowe, a nawet czarne. Jeśli organizm nie uciekałby się do tego, bądź co bądź, dość drastycznego sposobu, mogłoby być jeszcze gorzej. Zalegający kwas wypalałby dziury w narządach! Tłuszcz stanowi więc dla nich swego rodzaju ochronę. Nie znaczy to wcale, że wszystko działa już jak należy. Jeśli kwas jest produkowany stale, problem się pogłębia. Zwalnia trawienie, a organizm ma do dyspozycji coraz mniej tlenu. Konsekwencją tego jest fermentacja i gnicie. Takie środowisko to prawdziwy raj dla grzybów i pleśni. Nie pogardzą nim również pasożyty. Ich jedynym celem jest niestety przetrwanie. Potrzebują więc pożywienia. Sięgają po nie do i tak już uszczuplonych zapasów żywiciela. Objadają się, ale i... wydalają. A to znów nie wpływa dobrze na komórki człowieka. Ograbiony organizm nie może się regenerować. Nie jest w stanie, bo brakuje mu koniecznych do tego zasobów. Skoro ma niewystarczającą ilość energii, pożywienie również nie jest należycie przerabiane. Skoro pokarm nie może zostać zagospodarowany, tworzy następną porcję zakwaszającego balastu.

Dlaczego wcześniej wspomniałam o wodzie alkalicznej, czyli zasadowej? Bo cóż skuteczniej zneutralizuje kwas niż zasada? Tylko wtedy, kiedy organizm pozbędzie się nadmiaru kwasu, poradzi sobie z tłuszczem. Jeśli na bieżąco dołożysz starań o utrzymanie równowagi kwasowo-zasadowej, nie powinno być problemu z nadmiarem masy, z którą w dodatku rozstaniesz się bez żalu i, nie tylko podejrzewam, ale jestem pewna, za którą wcale nie będziesz tęsknić.

O tym, co jeszcze zakwasza organizm, dowiesz się z rozdziału „Równowaga kwasowo-zasadowa a odchudzanie".

Mniej, ale wolniej, znaczy więcej

Powodów, dla których nawet z wysokiej jakości produktów spożywczych możemy nie pozyskać wystarczającej ilości składników odżywczych, jest co najmniej kilka. Ten spotykany najczęściej to z pewnością zbyt szybkie jedzenie. Ten temat również został już poruszony w mojej poprzedniej książce (w rozdziale „To nic nie kosztuje..."). Pisałam o poważnych zagrożeniach czyhających na tych, którzy jedząc, zwykle się spieszą. Było też o korzyściach wynikających z przykładania się do tego, by posiłek został skonsumowany, jak Pan Bóg przykazał. Niemniej uważam, że omawiając zagadnienia związane z odchudzaniem, do tego, co już zostało powiedziane, warto dodać coś jeszcze.

Informacja, że żołądek powiadamia mózg o pobraniu wystarczającej ilości jedzenia z pewnym opóźnieniem, pojawia się na jakimś etapie szkolnej edukacji. Jeśli ktoś pilnie uważał na lekcji biologii (za moich zamierzchłych czasów w podstawówce była to nauka o człowieku), powinien był się o tym dowiedzieć. Żeby zakończyć posiłek (zwłaszcza ten wyjątkowo smaczny) w odpowiednim momencie, z pewnością przyda się odrobina samodyscypliny i szczypta zdrowego rozsądku. Jedyne, co z tej informacji wynika, to to, że nie pamiętając o tym dość istotnym fakcie, możemy regularnie zjadać zbyt dużo, a przez to także tyć. Niewiele natomiast mówi się (mam nadzieję, że prawdziwie zaangażowani nauczyciele to robią) o tym, co dzieje się w organizmie z pożywieniem pochłoniętym zbyt szybko.

Żeby nie być gołosłowną, przestudiowałam podręcznik drugiej klasy gimnazjum. Interesowało mnie głównie to, jakie informacje ma uczniom do przekazania zmodyfikowany już po raz kolejny program. Niestety nie znalazłam w nim nic poza trzema, dość sucho wyłożonymi tematami (1. Składniki pokarmowe, 2. Układ pokarmowy. Trawienie i wchłanianie składników pokarmowych, 3. Choroby związane z układem pokarmowym — tu mowa o tych wywoływanych przez raczej egzotyczne bakterie czy robaki). Myślę, że to zdecydowanie za mało. Może właśnie na tym etapie należałoby odpuścić płazom i gadom. Stawonogom też można by darować. A i ptaki mogłyby poczekać. Ornitologia z pewnością jest niezwykle ciekawą nauką, ale niestety niewiele wnosi do codziennego życia. Czas w ten sposób zaoszczędzony warto byłoby poświęcić na wyposażenie uczniów w praktyczną wiedzę, mającą zastosowanie od zaraz. W dodatku z pożytkiem dla zdrowia. Nie muszę chyba dodawać, że powinna to być kontynuacja edukacji rozpoczętej na etapie przedszkola (to takie moje marzenie).

Na szczęście informacje poświęcone znaczeniu powolnego jedzenia można znaleźć w różnych innych źródłach. Nawet w osławionym, wspominanym już tu *Sekrecie*. Jego autorka pisze: „Wallach Wattles dzieli się w jednej ze swoich książek wspaniałą radą. Zaleca, by w trakcie jedzenia upewnić się, że człowiek jest całkowicie skupiony na doświadczeniu, jakim jest przeżuwanie. Kontroluj umysł i doznawaj uczucia spożywania jedzenia, nie pozwalając swoim myślom koncentrować się na czymś innym. Bądź obecny w swoim ciele i raduj się doznaniami, jakie daje przeżuwanie jedzenia i połykanie go. Spróbuj tego, gdy będziesz następnym razem się posilał. Gdy jesteś całkowicie skupiony na jedzeniu, jego aromat jest intensywny i wspaniały. Kiedy pozwalasz umysłowi błądzić, smak dosłownie znika. Jestem przekonana, że jeśli możemy jeść z pełną świadomością teraźniejszości, całkowicie skupieni na przyjemnej czynności jedzenia, posiłek zostaje zasymilowany przez nasze ciało w sposób doskonały, a rezultatem musi być doskonałość naszych ciał".

Czy całkowite, bez reszty skupienie się na jedzeniu jest możliwe?

Jesienią 2003 r. zadzwoniłam do poznanego kilka tygodni wcześniej małżeństwa. Mieliśmy omówić szczegóły związane z niebawem mającym nastąpić spotkaniem. Ku mojemu sporemu zaskoczeniu po drugiej stronie usłyszałam, żebym odezwała się nie prędzej niż za jakieś czterdzieści minut, ponieważ właśnie są w trakcie obiadu. Przyznam, że poczułam się nieswojo. Następna rozmowa była miła, serdeczna i ani przez sekundę nie dano mi odczuć, że wcześniej zatelefonowałam nie w porę. U nich jedzenie jest po prostu czynnością niemal świętą. Teraz, pisząc o tym, oczyma wyobraźni ujrzałam tę parę. Dawno już się nie widzieliśmy. Myślę jednak, że ich ciała są nadal tak doskonałe jak wówczas (wtedy oboje mieli po więcej niż pięćdziesiąt lat). Na tę doskonałość z pewnością miał i nadal ma wpływ sposób spożywania posiłku. Jak na nasze czasy dość wyjątkowy. Osobiście nie spotkałam wielu ludzi angażujących w tę codziennie powtarzaną czynność całej swojej uwagi i wszystkich zmysłów. Teraz na wspomnienie tamtego nie całkiem (jak mi się wówczas wydawało) fortunnego dla mnie kontaktu za pośrednictwem telefonu myślę o podwarszawskich znajomych inaczej, zdecydowanie z dużo większym podziwem.

Jeśli pochłoniesz posiłek zbyt szybko, nie dasz sobie szansy na jego dokładne strawienie.

A skoro tak, w miejsce życiodajnych substancji otrzymasz balast, którego będzie trzeba się pozbyć. Niby oczywiste jest to, że organizm, by funkcjonować właściwie, potrzebuje m.in. witamin i minerałów. Skoro nie jest w stanie wytworzyć ich samodzielnie, musi dostać je w pożywieniu. Ale jak ma to zrobić, kiedy zamiast posiłek rozdrabniać, często go po prostu połykasz. Natura (a ta nigdy się nie myli) dała nam zęby u wrót układu pokarmowego, a nie dopiero w żołądku czy jelicie. Dlatego jeśli chcesz zachować bądź odzyskać zdrowie, nie masz innego wyjścia jak zastosować się do jej wymagań.

Zadaniem uzębienia jest przygotowanie pokarmu do dalszej obróbki. Tak jest i (czy nam się to podoba, czy ani trochę) inaczej nie będzie. Podobno „Jogin z garstki ryżu uzyska o wiele więcej niż Anglik z krwistego befsztyka". Jakiś mądry człowiek (niestety nie pamiętam, gdzie to przeczytałam) powiedział, że „**Posiłek niestrawiony trawi tego, kto go zjadł**".

Jedzenie. Niby takie proste, a jednak nie całkiem oczywiste. Mamy niewielki wpływ na to, co wyprodukuje przemysł spożywczy. Natomiast na to, jak jemy, owszem. Dlatego przynajmniej starajmy się (mnie też to dotyczy) systematycznie czynić w tym względzie postępy.

Najczęstsze błędy popełniane przez odchudzających się

Chyba niewiele jest osób, które przynajmniej raz nie próbowały się odchudzać. Nie przypadkiem używam słowa: próbowały. Próbowały i nic z tego nie wyszło albo efekt był nie dość satysfakcjonujący. Próbowały i nie schudły. Próbowały, schudły, a za jakiś czas waga „sprzed" wróciła. Dlaczego tak się działo? Co robiły i często nadal robią nie tak?

Zanim na dłużej zatrzymamy się przy błędach najczęściej popełnianych w czasie redukowania wagi, warto odpowiedzieć sobie na najbardziej podstawowe pytania:

— Po co mam schudnąć?
— Na jak długo chcę zatrzymać uzyskaną lub odzyskaną w wyniku odchudzania sylwetkę?
— Czy na pewno pragnę trwałych zmian, a dzięki temu doskonałego samopoczucia nie tylko w sferze soma, ale i psyche?
— Co zmieni się po osiągnięciu tego celu?

A może (choć za nic się do tego nie przyznam) tak naprawdę zależy mi tylko na zrobieniu oszałamiającego wrażenia jednego wieczoru?

Zbliża się Bal Absolwenta, a wieść niesie, że on (ona) w tym roku wreszcie też się wybiera. Choć wtedy nie byłam (byłem) w klasie (czy na roku) numerem 1, teraz mam szansę zabłysnąć. Tylko te nieszczęsne siedem kilogramów! Jak się ich pozbyć? Zostało tak niewiele czasu. No i kilka dni później ten firmowy weekend w SPA. Że też nie mogli wymyślić innej nagrody! Będą niemal wszyscy. Jak ja pokażę się w salonie kąpielowym? Tylko nie to! Siedem kilo w niespełna dwa tygodnie? Chociaż... musi być na to jakiś sposób!

Jeśli interesuje Cię opcja schudnięcia w ciągu kilku dni, materiał dotykający błędów raczej Ci się nie przyda. Mam jednak nadzieję, że skoro trzymasz w ręku akurat tę książkę, Twój cel jest zupełnie inny. Nie mam nic przeciwko podobaniu się nawet tylko przez wieczór, dzień czy dwa. Któż nie chce wyglądać wspaniale, choćby i przez chwilę! Wolałabym jednak, by lektura tego poradnika, dzięki sensownym, systematycznie wprowadzanym modyfikacjom, spowodowała zmiany nie tylko znaczące, ale i trwałe.

Zdaję sobie sprawę z tego, że błędów popełnianych w czasie odchudzania jest wiele. W dodatku występują one w najróżniejszych konfiguracjach. Chociażby z tego względu nie sposób wszystkich ich tu omówić. Dlatego proponuję zatrzymać się przy tych, które, mam wrażenie, są popełniane najczęściej.

Błąd pierwszy

Na pewno jednym z najbardziej powszechnych uchybień przeciwko własnemu organizmowi jest traktowanie przywracania ciału pożądanego wyglądu jak starcia na polu bitwy. W mediach aż roi się od haseł nawołujących do walki z nadwagą. Więc walczysz. Pamiętaj jednak, że w każdym pojedynku ktoś przegrywa. A Twój organizm nie tego oczekuje. On raczej prosi o szacunek i wsparcie. Nie walcz z tym, co dla Ciebie tak cenne. Już (uznany później za świętego) Tomasz z Akwinu mówił, że człowiek jest istotą duchową. Żeby jednak być taką, potrzebuje ciała. To prawda. Jest Ci niezbędne do realizacji wszystkich ambitnych zamierzeń. A skoro tak, walka z nim to niezbyt dobry pomysł. Pamiętasz, co wcześniej (w rozdziale „Zakochaj się w sobie") pisałam o ciele jako o świątyni?

Z pewnością przejawem walki jest skakanie z kwiatka na kwiatek, czyli co kilka tygodni inna dieta. Właśnie dowiadujesz się, że obwieszczono kolejną, dającą efekty tak spektakularne jak nigdy dotąd. Jednak tkwi w tym pewien kłopot, który mało kto chce dostrzec. Jeśli nawet dane dotyczące osób odchudzonych w bardzo krótkim czasie są prawdziwe, to brakuje informacji o tym, co stało się niedługo po zakończeniu diety czy stosowania środka, któremu przypisuje się niemal magiczne działanie.

Ktoś zastosował dietę i... stał się cud! Nic dziwnego, że chcesz, by przydarzyło się to również Tobie. Ale przecież Ty przy podejmowaniu decyzji o zmianie sposobu żywienia nie potrzebujesz wiary w cuda ani samych cudów. Oczywiście miło byłoby obudzić się z idealną sylwetką. Któż by tego nie chciał? Mimo to zdecydowanie bardziej przyda Ci się zdrowy rozsądek. Wiele diet z grupy tzw. cudownych i rewolucyjnych ograbia organizm z podstawowych i najbardziej koniecznych składników odżywczych. To, jak wiesz, nie jest najlepszy sposób traktowania siebie przez dłuższy czas. Wcześniej czy później przyjdzie za to zapłacić i to najprawdopodobniej dość słono. Z pewnością na zdrowie nie wyjdzie Ci żadna monodieta. (Swego czasu licealne koleżanki naszej córki odchudzały się dietą... parówkową. Hmm...).

Nie mniej groźne niż jedzenie przez dłuższy czas jednego produktu bądź nawet większej ich ilości, ale pochodzących z wybranej tylko grupy, jest... głodzenie się. Nie musi ono nawet polegać na całkowitym odmawianiu sobie jedzenia. Wystarczy, że będzie go dużo, dużo mniej.

Podejmowanie działań, których nie jesteś w stanie kontynuować dotąd, aż staną się zdrowym nawykiem, jest pozbawione sensu. Niemal zawsze (a zwłaszcza w przypadku redukowania wagi) po ich zaprzestaniu efekt będzie dokładnie odwrotny niż zamierzony, a tym samym szalenie frustrujący.

Błąd drugi

Od pewnego czasu mam możliwość obserwowania osoby, która nie tylko ciągle jest na diecie (w ostatnim roku pod opieką dietetyka), ale i dość intensywnie ćwiczy. Żeby schudnąć, podejmuje najróżniejsze formy aktywności ruchowej. Nie wiem, czy mnie wzrok nie myli, ale to, co widzę, odbiega, i to coraz mocniej, od zamierzonego celu, który przynajmniej głośno jakiś czas temu deklarowała. W początkowym okresie znaczny spadek wagi był rzeczywiście widoczny. Nie trwało to jednak długo. Pomijając w tej chwili kwestię skuteczności zaleceń dietetycznych (zresztą nie wiadomo czy przestrzeganych), skupmy się na samym ruchu.

Małe jego dawki, po długim okresie bez aktywności fizycznej, sprawiają, że metabolizm wyraźnie przyspiesza. Komórki stają się bardziej dotlenione, a mięśnie powoli budzą się z letargu. Zdecydowanie lepiej aplikować sobie ruch w małych dawkach, ale systematycznie, niż raz na jakiś czas zrobić wielki zryw na aktywność ruchową (siłownia, basen, poranny jogging, rower i jeszcze taniec), a po tygodniu zrezygnować. Jeśli podejmiesz decyzję o nowych działaniach, powinny one stać się regularnym elementem bądź elementami w rozkładzie Twojego dnia. Jeśli chcesz schudnąć i zachować ładną sylwetkę, potrzebujesz odnowy biologicznej, a nie biologicznego maltretowania.

Błąd trzeci

Wiele osób słysząc, że tłuszcz może być przyczyną nadwagi, zaczyna traktować go jak swojego wroga i to w dodatku numer 1. Myślę, że zamiast się go obawiać, lepiej zastanowić się, czy aby na pewno aż taki diabeł straszny, jak go malują. Lęk przed tłuszczem jest podsycany już od dziesięcioleci. W wyniku najprzeróżniejszych kampanii półki hipermarketów uginają się nie tylko pod produktami spożywczymi typu „light". Nie brakuje również tych oznaczonych symbolem „0%". Niemal co chwilę trafiają na rynek kolejne wynalazki pozbawione tłuszczu. Skoro ciągle ich przybywa, wychodzi na to, że jest wystarczająco dużo chętnych, by je kupować.

Jeśli ludzie jedzą to, co podobno zdrowe, powinni tak właśnie wyglądać. A co widzimy na polskiej ulicy? Liczba osób z nadwagą (zarówno wśród dorosłych, jak i dzieci) zamiast maleć, rośnie. W szkołach z roku na rok więcej problemów sprawiają uczniowie z wszelkimi odmianami nadpobudliwości psychoruchowej, a w placówkach integracyjnych przybywa dzieci z najróżniejszymi upośledzeniami. Coraz więcej jest tych z poważnymi deficytami umysłowymi.

Szkoda, że strasząc ludzi tłuszczem, ktoś zapomniał o zwróceniu uwagi na to, iż **tłuszcz tłuszczowi nierówny**. Jest taki, który szkodzi, i to bardzo. Ale i taki, bez którego wiele procesów istotnych dla życia człowieka po prostu nie ma szansy zajść. Na skutek niedoboru dobrych tłuszczów problemów zdrowotnych zamiast ubywać, będzie coraz więcej.

Nie bez powodu pewne związki mają w swojej nazwie słowo: NIEZBĘDNE. Chodzi oczywiście o Niezbędne Nienasycone Kwasy Tłuszczowe. Dla odchudzających się są tak ważne, że słynna dietetyczka z Wysp Brytyjskich (doradzająca gwiazdom filmu i sportu, a także rodzinie królewskiej) Gillian McKeith uważa, iż powinno się nazywać je niezbędnymi kwasami odchudzającymi. A to dlatego, że biorą udział w rozkładaniu tłuszczu, który rzeczywiście zdrowiu nie pomaga. NNKT są nie tylko w rybach (śledziu, łososiu, tuńczyku i makreli), ale i w awokado, orzechach, nasionach sezamu, lnu, słonecznika, pestkach dyni, wodorostach czy oliwie z oliwek. (Informacje o tych najbardziej korzystnych dla Ciebie znajdziesz w zaleceniach dietetycznych dla swojej grupy krwi).

Doktor medycyny Frank Liebke w swojej książce poświęconej Niezbędnym Nienasyconym Kwasom Tłuszczowym opisuje ich dobroczynne działanie w przypadku wielu dolegliwości i chorób. W długim wykazie mamy nie tylko te dotyczące serca i układu krążenia.

Umieścił w nim również nowotwory, osteoporozę, artrozę, artretyzm, astmę, migrenę, demencję, psychozę, depresję i inne problemy znajdujące się w kręgu zainteresowania psychiatrii, a także stwardnienie rozsiane, chorobę wrzodową żołądka i dwunastnicy, stany zapalne jelit, w tym chorobę Leśniowskiego-Crohna, liszaj rumieniowaty, schorzenia nerek, skóry (m.in. egzemy i łuszczycę), infekcje wirusowe i nadwagę. Wspomina również o zbawiennym wpływie NNKT na łagodzenie stresu, a także naturalny i spokojny sen. Dobre tłuszcze wspomagają redukcję masy ciała, obniżają (jeśli rzeczywiście jest zbyt wysoki) poziom cholesterolu, zwiększają odporność, odżywiają narządy rozrodcze, skórę, włosy i tkankę kostną. Tak jak wskazuje ich nazwa, są NIEZBĘDNE do życia.

Warto pamiętać również, a może przede wszystkim, o tym, że duża część mózgu to właśnie... tłuszcz. Jeśli ten niewyobrażalnie istotny dla człowieka organ nie otrzyma odpowiedniej ilości i jakości tego, co absolutnie konieczne, czy można liczyć na to, że będzie funkcjonował właściwie?

Błąd czwarty

Niejeden odchudzający się szerokim łukiem omija nie tylko produkty zawierające tłuszcz. Rezygnuje również z węglowodanów. Tyle że z nimi jest bardzo podobnie jak z cieszącym się (nie zawsze zasłużenie) złą sławą pierwszym niby-wrogiem. Są węglowodany i... węglowodany. W całej masie zawierających je produktów możemy wybierać pomiędzy tymi, które przysporzą ponadprogramowych, trudnych do zredukowania kilogramów, a tymi, które zapewnią jasne myślenie, energię do działania, dobry nastrój, a wraz z nim właściwe nastawienie do życia. Nie muszę Cię chyba przekonywać, że rezygnacja z nich spowoduje więcej strat niż zysków? Bardzo prawdopodobne, że przyniesie wiele, czasami trudnych do odwrócenia problemów ze zdrowiem. Zastąpienie węglowodanów produktami zawierającymi duże ilości białka może stać się przyczyną nie tylko zaparć, bólów i zawrotów głowy, ale i dużych zmian nastroju, napadów gniewu, agresji, a nawet bardzo trudnych do przetrwania stanów depresyjnych.

Oczywiście produktami zawierającymi węglowodany absolutnie konieczne do zdrowego życia nie są te pierwsze z brzegu, napakowane rafinowanym cukrem. Niezbędne są węglowodany złożone. Znajdziesz je m.in. w zbożach. Szczególnie polecam, doskonałe na energetyzujące śniadanie, proso i od niedawna (szkoda, że tak późno!) obecną w naszej kuchni komosę ryżową. Dobrym źródłem polisacharydów jest również (sprawdź, czy także dla Twojej grupy krwi) kasza gryczana, żyto czy jęczmień (te dwa ostatnie wykluczamy w przypadku nietolerancji glutenu). To też pieczywo z pełnego ziarna, ciemny ryż i warzywa.

Węglowodany, których trzeba unikać, to przede wszystkim te tzw. proste, w dodatku oczyszczone. Znajdują się w czekoladzie, ciastach, herbatnikach oraz w całym mnóstwie najprzeróżniejszych słodyczy i napojów. Te z pewnością nie pomogą Ci schudnąć. Natomiast przyczynią się do utorowania drogi do wielu poważnych niedomagań. Ryzyko jest duże, więc może warto je sobie po prostu darować.

Błąd piąty

Drastyczne zmniejszanie racji pokarmowych lub opuszczanie posiłków albo, co gorsza, głodzenie się powoduje, że organizm zaczyna traktować nową sytuację jako nadciąganie poważnego kryzysu. Ponieważ przetrwanie jest jego głównym celem, szybko zaczyna „rozumieć", że powinien przestawić się na tryb awaryjny. Pierwszym odruchem będzie przyhamowanie metabolizmu. Po takim doświadczeniu, nawet kiedy przestaniesz się odchudzać, on, na wszelki wypadek, dalej będzie pracował na zwolnionych obrotach. Wtedy wszystkie ewentualne nadwyżki odłoży w postaci tłuszczu. To z pewnością spowoduje Twoje niezadowolenie. A od niego już najprostsza droga do tzw. zajadania problemów. Przy zwolnionych przemianach metabolicznych waga będzie cały czas rosnąć. A przecież nie o to chodzi, prawda?

Błąd szósty

Wiadomo, że po to, by toksyny mogły zostać wydalone, trzeba dostarczać organizmowi odpowiednio dużo wody. Ostatnio prawdziwą plagą jest picie (również przez osoby niezadowolone ze swoich wymiarów) wód smakowych. O ich istnieniu najlepiej zapomnieć. Nie tylko wówczas, kiedy decydujesz się na odchudzanie. Podobnie z sokami wszystkimi innymi niż te przygotowywane samodzielnie. Z sokiem jest jak z tłuszczem i węglowodanami, sok sokowi nierówny. Żeby zdać sobie sprawę z tego, co spożywamy, warto czytać etykiety. Sięgając po wodę butelkowaną, także tę bez sztucznych dodatków smakowych i barwników, dobrze sprawdzać również zawartość sodu. To dlatego, że może blokować wydalanie toksyn, wzmagać obrzęki i pogłębiać problemy związane z cellulitem.

Błąd siódmy

Niezbyt dobrym pomysłem jest codzienne wchodzenie na wagę. Może to być frustrujące. Zdecydowanie lepszym wyjściem jest kontrolowanie postępów raz w tygodniu, najlepiej o tej samej porze dnia.

Zwykle po upływie kilku tygodni, mimo konsekwentnego stosowania tych samych zasad, waga zatrzymuje się na określonej liczbie kilogramów i ani myśli drgnąć. Bywa, że nawet nieznacznie zaczyna iść w górę. To bardzo trudny moment. Nie każdy jest w stanie go przetrwać. Dlatego koniecznie trzeba wiedzieć, że istnieje coś takiego jak **zjawisko adaptacji metabolicznej**. O wyjaśnienie tego, na czym polega, poprosiłam wieloletniego praktyka, trenera i instruktora Wellness (*Bronze Level Instructor Schwinn Cycling, Gymstick Power And Gymstick Challenge Instruktor's Lice, Spinning Clinic Instruktor*), Wojciecha Brzostowskiego. Tym, czego się dowiedziałam, postanowiłam podzielić się również z Tobą:

„W aspekcie odchudzania możemy zauważyć dwie adaptacje: metaboliczną i treningową. W obu przypadkach organizm przyzwyczaja się do pewnych parametrów związanych z efektami, jakie chcemy uzyskać. W obu przypadkach niezbędne są umiejętnie wprowadzone zmiany, uruchamiające kontynuację procesu redukcyjnego. Adaptacja metaboliczna to okres przestoju w procesie redukcji tłuszczu. Osoba z dużą nadwagą na początku stosowania odpowiednich zaleceń bardzo szybko i widocznie oddaje tkankę tłuszczową. Po upływie 8 – 12 tygodni następuje pierwszy okres zastoju (adaptacja metaboliczna). To czas, w którym odchudzający się, zniechęcony brakiem widocznych efektów, najczęściej rezygnuje. Zaprzestaje jakichkolwiek wcześniej ustalonych działań dających dobre rezultaty. Wraca do starych nawyków i »w nagrodę« dostaje efekt jo-jo.

A przecież jest to wspaniały sygnał, że idzie bardzo dobrą drogą i nadal powinien nią podążać. Osoba świadoma tego, co dzieje się w organizmie, lub właściwie prowadzona przez fachowca wykorzystuje to zjawisko jako motywację. Takich okresów może być kilka. W tej sytuacji można nieco zmniejszyć podaż kalorii bądź (w spokojnym tempie) zwiększyć aktywność fizyczną. Przy ruchu należy pamiętać, że ćwiczenia typu *cardio* (rowerek, bieżnia, stepper, maszyna eliptyczna) będą sprzyjać spalaniu tłuszczyku, a aktywność modelująca i siłowa będzie powodować rozwój mięśni, rzeźbienie sylwetki, natomiast na tkankę tłuszczową będzie miała niewielki wpływ. W przypadku drugiego rodzaju ruchu zaobserwujemy zmniejszające się obwody. Odzież zacznie robić się luźna, jednak nie będzie spadku wagi".

Błąd ósmy

Z pewnością jednym z najpoważniejszych błędów jest powrót do starych nawyków.

Zdarza się, i to wcale nierzadko, że po wielu tygodniach czy nawet miesiącach konsekwentnego trwania w podjętych postanowieniach i osiągnięciu zamierzonego efektu uznaje się sprawę za zakończoną. Zamiast skupić się na utrwalaniu pozytywnych skutków prawidłowego postępowania, wraca się do tego, co było wcześniej. Osobie, która sprawdziła swoje możliwości, wydaje się, że teraz może pozwolić sobie na więcej. W szczególności na to, czego musiała odmawiać sobie przez tak długi czas. To wielki błąd! Jakie będą tego rezultaty, nietrudno się domyślić.

Błąd dziewiąty

Sięganie po to, na co właśnie przyszła chęć, nie jest jedynie domeną osób odchudzających się. To powszechny nawyk, na którego usprawiedliwienie można usłyszeć: „Mam ochotę, więc widocznie organizm tego potrzebuje". Klasycznym, niemal każdemu znanym przykładem jest sztandarowe wręcz: „Jem czekoladę, bo widocznie brakuje mi magnezu".

Co na ten temat mówi znana dietetyczka Iza Czajka?

„Każda kobieta (ja też) żyje w przeświadczeniu, że obdarzona jest intuicją i siódmym zmysłem, które ostrzegają ją przed niebezpieczeństwami. Być może tak się dzieje, ale na pewno nie przy wyborze jedzenia. Dzisiaj, kiedy żywność spełnia wiele funkcji oprócz tej najważniejszej, jaką jest zapewnienie organizmowi składników odżywczych, o konsumpcji decyduje reklama. Taki sposób doboru żywności w dłuższej perspektywie czasowej staje się niebezpieczny, prowadząc do zaburzeń odżywiania, nadwagi i związanych z nią chorób. Moje drogie, pewnie pomyślałyście: »Głupia, czy co?«. Przecież organizm wie, czego mu trzeba i apetytem sygnalizuje, co to ma być i ile. Jeśli więc zjadam trzy tabliczki czekolady naraz, to pewno uzupełniam braki magnezu i chronię serce przed miażdżycą, a jeśli kilogram krówek, to brakuje mi kojącej nerwy serotoniny. Otóż nie. Są to półprawdy wykreowane przez język mediów. Po pierwsze, zjadasz ogromne ilości kalorii, zalecane drwalowi do ciężkiej fizycznej pracy, a po drugie nieprzyswajalny dla organizmu — ze względu na obecność antyodżywczej fityny — magnez. Przyjmij do wiadomości, że Twój organizm pogubił się i już NIC nie wie, bo gdyby było inaczej, jadłabyś od rana do wieczora produkty z razowej mąki, warzywa i mięso, oczywiście ekologiczne. Chcę Wam uświadomić, że postęp cywilizacyjny bardzo źle wpłynął na proces produkcji żywności. Pomieszał w jej genach, wzbogacił ją w barwniki, tłuszcze, aromaty i cukier, aby uzależniał i ograbiał z błonnika, witamin i minerałów. Nie dziwi mnie fakt, że czujecie się stare i zmęczone, bo zamiast dobrego paliwa »wlewacie« w siebie nieprzydatne organizmowi związki chemiczne". (A skoro już o magnezie mowa, to spore jego ilości zawierają migdały, które zostaną lepiej strawione po uprzednim całonocnym namoczeniu).

To z pewnością nie wszystkie błędy. Jeśli jednak uda się ominąć chociaż te, do osiągnięcia celu będzie już całkiem blisko.

Pigułkami w kilogramy — tak czy nie?

Najpierw krótkie ostrzeżenie. Szerokim łukiem omijałabym środki obiecujące, że schudniesz natychmiast. W dodatku... bez wyrzeczeń, bez diety i bez ruchu. Takie, które będą odchudzać Cię rano i wieczorem, a w południe za ich sprawą też nic Ci nie przybędzie. Wystarczy, że połkniesz, i świat znajdzie się u Twoich stóp.

Mam nadzieję, że skoro jesteś w posiadaniu tej książki, interesuje Cię nie tylko piękna sylwetka, ale ładny wygląd przy zachowaniu zdrowia. Zanim sięgniesz po coś, co ma Cię wesprzeć, chcę zwrócić Twoją uwagę na niektóre zjawiska zachodzące w ciele. Bez ich aktywnego wsparcia pozbywanie się wszelkich nadmiarów może nie być wystarczająco skuteczne. Dlatego zanim podejmiesz decyzję o włączeniu do akcji jakichś „pomocników", zastanówmy się, na którego lub których rzeczywiście warto postawić.

Jukka

Ponieważ już to wiesz, tu jedynie przypomnę: tkanka tłuszczowa to skład toksyn. To jedna z jej ról. Pomyślisz może, że przecież kilka rozdziałów wcześniej była mowa o tym, jak wyjątkowy jest Twój organizm. Masz rację. Nie zmieniłam zdania. Ciągle twierdzę, że jest idealny. Tak bardzo, że jego geniusz umieszcza trucizny właśnie w magazynie tłuszczu po to, by nie uszkodziły serca czy np. nerek. Żeby nie dokładały ponad miarę pracy wątrobie, która i tak ledwie nadąża z neutralizowaniem tego, co jeszcze bardziej szkodliwe.

Organizm w swej doskonałości został przystosowany do bieżącej detoksykacji. Niestety Matka Natura nie przewidziała, że człowiek w niewiarygodnie krótkim czasie aż tak drastycznie zmieni swoje środowisko. Dlatego potrzebujesz świadomie prowadzonego dodatkowego oczyszczania. Temu właśnie mogą służyć właściwie dobrane preparaty roślinne.

Jednym z takich przyjaznych człowiekowi „zielsk" jest jukka. Do niedawna w naszym klimacie znana głównie jako domowa roślina ozdobna. W naturalnych dla siebie warunkach jest dużych rozmiarów drzewem. To, co ma najcenniejszego do zaoferowania, to, mająca działanie oczyszczające, kora.

Jeśli radzę komuś zastosowanie jukki, zawsze zaznaczam, że ma to sens wyłącznie wtedy, gdy razem z nią trafi do organizmu wystarczająca ilość wody. Swoją rolę ma szansę spełnić wyłącznie w zestawieniu z płynem dobrej jakości. Wspaniałe detoksykujące, a dzięki temu również odmładzające działanie tej niezwykłej rośliny ponad dziesięć lat temu wypróbowałam najpierw na sobie. Efektami byłam tak zachwycona, że niemal każda kobieta słuchająca mojej relacji natychmiast chciała ją zastosować. Najbardziej pamiętam tę pierwszą. Aby mieć pewność, że będzie postępować tak jak należy, kilka razy dopytywałam, czy zrozumiała, o co chodzi w tym oczyszczaniu. Kiedy świadomie zaczęła zwracać uwagę na to, co pije, okazało się, że jedynym przyjmowanym przez nią w ciągu dnia płynem jest… kawa.

Z doświadczenia wiem, że wielu ludzi lepiej zapamiętuje sposób oddziaływania na organizm preparatów, jeśli tłumaczy się to na przykładach pozornie niemających związku z rzeczywistym mechanizmem ich działania. Dlatego na wypadek gdyby przyszło Ci do głowy wprowadzić na własną rękę korektę czy modyfikację w stosowaniu jukki, mam dla Ciebie pewną metaforę.

Wyobraź sobie dość prozaiczną sytuację. Wracasz z górskiej wycieczki. Wiesz, że zawartość plecaka wymaga natychmiastowej interwencji. Ponieważ cały czas padało, to, czego było na szlaku najwięcej, to błoto. Nic dziwnego, że spodnie są mało podobne do tych, które zostały włożone do bagażu przed wyjazdem. Podobnie rzecz ma się ze swetrem. A i Twoja ulubiona koszula z miękkiej flaneli jakaś podniszczona. Ponieważ w schronisku nie było szans na doprowadzenie garderoby do porządku, nie było innego wyjścia jak poczekać z tym do powrotu. Docierasz do domu. Wkładasz wszystko do pralki. Dodajesz detergent. Zanieczyszczenia uwalniają się do wody. I nagle okazuje się, że nie ma prądu. Znów jakaś awaria! W rozmowie telefonicznej dowiadujesz się, że naprawa może potrwać nawet ze dwa dni. Z niemałym trudem pozbywasz się wody z urządzenia i wyjmujesz to, co miało zostać odświeżone. Widzisz, że teraz nie pozostaje Ci nic innego jak wysuszenie ubrań, których nie udało się wyprać. Gdy wszystko wróci do normy, trzeba będzie zacząć od początku.

Podobny proces „prania" zachodzi w Twoim ciele.

Zażyta, sproszkowana kora jukki odkleja toksyny, które dla Twojego bezpieczeństwa organizm poupychał w miejsca będące swoistą przechowalnią dla tego, bądź co bądź, zbędnego bagażu. Jeśli każdą kapsułkę popijesz solidną (najlepiej o pojemności co najmniej 0,33 l) szklanką wody, trucizny zostaną rozcieńczone i wydalone. Jeżeli natomiast zlekceważysz konieczność dostarczenia sobie odpowiedniej ilości dobrego płynu, wówczas będzie tak jak z tym praniem. Detergent wydobył wprawdzie zabrudzenia z ubrań, ale kiedy zabrakło wody, Twoje spodnie, sweter i koszula nie nadawały się do założenia. Dopiero po porządnym wypłukaniu i wysuszeniu znów możesz cieszyć się przyjemnością, którą zapewnia Ci ich noszenie.

Detergent rozpuszczający brud to sproszkowana kora jukki. Przerwa w dostawie wody do pralki to płyn, który nie został wypity. Zabrudzone ubrania, nienadające się do noszenia, to złe samopoczucie (np. bóle głowy, stawów). Powtórne pranie, z dostateczną ilością wody do wypłukania, to właściwe podejście do kuracji i należyte jej przeprowadzenie. Wysuszone, miłe w dotyku tkaniny Twojego stroju to jasność umysłu, bardziej płaski brzuszek, witalność, ładniejsza cera i więcej energii. A wszystko to po właściwym przeprowadzeniu odtruwania.

Enzymy

Co jeszcze w dążeniu do szczupłej sylwetki może przydać Ci się dla usprawnienia procesów zachodzących w Twoim ciele? Choć niestrawność to przykra dolegliwość, mam wrażenie, że wiele osób nie traktując jej wystarczająco poważnie, tym samym ją bagatelizuje. Warto zatem wiedzieć, jakie mogą być jej skutki. A także i to, że można jej uniknąć. Potrafi objawiać się na przeróżne sposoby, również zupełnie z nią niekojarzone. Zwykle mówi się o niej, kiedy pojawiają się wzdęcia, gazy, skurcze jelit, zgaga, mdłości, biegunka, zaparcia czy bóle brzucha. Znacznie rzadziej są z nią identyfikowane bóle głowy. Trzeba jednak wiedzieć, że może ją sygnalizować również dyskomfort w klatce piersiowej, nieprzyjemny zapach z ust, zmęczenie, irytacja, problemy z pamięcią i koncentracją, bezsenność, stany depresyjne albo nawet... koszmary senne.

Jednym z głównych powodów problemów z trawieniem jest niedobór enzymów. Zanim odpowiemy sobie na pytanie, czy aby na pewno warto je uzupełniać, kilka słów o enzymach w ogóle. Najkrócej mówiąc, bez nich życie nie jest możliwe. To substancje tak ważne i jednocześnie fascynujące, że można by poświęcić im oddzielne, obszerne opracowanie. Tu chcę wspomnieć zaledwie o tym, co nie zawsze oczywiste, a najbardziej istotne.

W największym uproszczeniu, enzymy konieczne do życia można podzielić na trzy grupy: metaboliczne, trawienne i żywnościowe. Rodzisz się z zapasem tych pierwszych. Są bezwzględnie potrzebne, ponieważ biorą udział w absolutnie wszystkich procesach zachodzących w ciele. Bez nich o osiągnięciu i utrzymaniu szczupłej sylwetki można jedynie pomarzyć.

Enzymy trawienne również wytwarza organizm. One z kolei rozkładają i przetwarzają to, co zjadasz. Wielką szkodę wyrządzasz sobie, jeśli Twoje pożywienie jest nadmiernie przetworzone. Nie dbając o jego jakość, dokładasz pracy trzustce. Musi produkować znacznie więcej enzymów. Jeśli nie nadąża z wykonywaniem tego jakże odpowiedzialnego zadania, wzywa na pomoc enzymy metaboliczne, które muszą zostać przetworzone na te od trawienia. Problem polega na tym, że owszem, pomagają w rozłożeniu pożywienia, ale w czasie kiedy się temu poświęcają, odłogiem leży wszystko to, co powinno być dla nich priorytetem. W efekcie takiego „zastępstwa" człowiek może mieć problemy z najprostszymi czynnościami, nawet tak bardzo podstawowymi jak... oddychanie.

Ostatnia grupa to enzymy żywnościowe. One również biorą udział w przetwarzaniu pokarmu. Z tym że są dostarczane z zewnątrz, z jedzeniem. Dobra wiadomość jest taka, że mamy wpływ na to, jak dużo ich trafi do organizmu. Ta nie najlepsza z kolei to fakt, że niestety w przeważającej większości produktów spożywczych one po prostu nie występują. Jeśli chcesz mieć energię, czuć się wspaniale i w dodatku chudnąć, nie masz innego wyjścia jak dostarczyć swojemu spragnionemu ciału całego mnóstwa enzymów. Nie można mówić o zdrowiu i pięknej sylwetce, jeśli organizm zamiast zapasów enzymów już od dawna notuje jedynie deficyt.

Wspomniany wcześniej mikrobiolog i biochemik Robert O. Young proponuje, by swoje ciało traktować jak konto bankowe. Kiedy spożywasz produkty zasadowe i pełne enzymów, dokonujesz wpłaty. To inwestycja w energię, żywotność i wagę, czyli zdrowie. Kiedy karmisz się tym, co zamiast pomagać, szkodzi, zakwasza organizm, a tym samym ograbia z enzymów, dokonujesz wypłaty energii. Jeśli na rachunku nie ma środków wystarczających na pokrycie wypłat, zaczynają się poważne kłopoty. Im więcej wypłacasz, tym bardziej się pogrążasz.

Kiedy równowaga zostaje zachwiana w stopniu znacznym, kończy się życie. Jedynym sposobem, by temu zapobiec, jest ograniczenie pobierania środków przy zwiększeniu intensywności wpłat (zielone produkty, im więcej surowizny, tym lepiej, dobre tłuszcze, tworząca właściwe środowisko woda).

Również nasza rodzima dietetyczka Maja Błaszczyszyn w jednej ze swoich książek posługuje się podobną metaforą. Ponadto pisze o genetycznej, specyficznej dla każdego, zdolności do wytwarzania enzymów. Porównuje to do odziedziczonego majątku. Jeśli bezmyślnie roztrwonisz go w młodości, zabraknie Ci środków w wieku dojrzałym, a już na pewno starość spędzisz w niedostatku, a może nawet ubóstwie.

Skąd brać enzymy, jeśli Twoje codzienne żywienie pozostawia wiele do życzenia? Na szczęście jest na to sposób. Na rynku mamy coraz więcej coraz lepszych produktów (my stosujemy *Digestive Enzymes*) zawierających te bezcenne substancje. Od razu zaznaczę, że nie chciałabym, by fakt zażywania tabletki z enzymami stał się Twoim usprawiedliwieniem dla małowartościowych posiłków. Możesz zastanawiać się, czy skoro nie zauważasz u siebie objawów niestrawności,

enzymy pomagające w trawieniu to również rozwiązanie dla Ciebie. Odpowiadam: zdecydowanie TAK. To substancje odpowiedzialne za każdą aktywność w Twoim ciele. To najbardziej zaangażowani „pracownicy". Najważniejsza „siła robocza". Są absolutnie niezbędne do zaistnienia każdej reakcji i każdego procesu. Pomagają trawić, odbudowywać, oczyszczać i bronić. Kiedy zaczyna ich brakować, wszystko zwraca się przeciwko Tobie. Jeśli dostarczasz enzymy trawienne w pożywieniu (oby udawało Ci się to jak najczęściej) bądź w pożywieniu i w postaci preparatu uzupełniającego, oszczędzasz inne (wcześniej wspomniane) ich rodzaje. Pilnej interwencji pozostałych będziesz potrzebować, gdy przytrafi Ci się choroba lub wówczas, gdy będzie konieczny większy niż zwykle wysiłek fizyczny. Nawet jeśli nie wydarzy się nic niepokojącego, z pewnością nie pozostaną bezczynne.

I znów, podobnie jak w przypadku jukki, stworzyłam pewien obraz. Tym razem dla pań. Wyobraź sobie... Już za trzy tygodnie ten piękny bal, na który czekasz tak długo. Ten jedyny, wyjątkowy. Wspomnienie o nim na pewno zachowasz na długo. W dodatku ten Wiedeń! A jednak marzenia się spełniają! Dzięki już dawno stworzonej w wyobraźni sukni chcesz nie tylko czuć się wspaniale, ale i olśnić wszystkich pozostałych gości. Zamawiasz doskonałą tkaninę. Zachwycasz się nią. Kosztowała majątek, ale nie żałujesz. Przecież ta noc ma być inna niż wszystkie.

Jedziesz do najlepszego w mieście krawca. Jednak drzwi pracowni zastajesz zamknięte. Pocieszasz się, że zaraz wróci. Mijają kwadranse. Zaczynasz się niepokoić. Szukasz. Pytasz. Wreszcie dowiadujesz się, że musisz poradzić sobie inaczej. Niestety osoby, którym odważyłabyś się powierzyć tę szczególną zdobycz, mają wyjątkowo napięte terminy. Nie mogą Ci pomóc. Materiał jest śliczny, ale to za mało. Żeby powstała z niego wymarzona przez Ciebie kreacja, potrzeba nie tylko nożyc i nici, ale i najbardziej wprawnej ręki. Szkoda, że nie możesz po prostu owinąć się tą zwiewną delikatną materią!

Czas ucieka. Odwiedzasz jeden sklep po drugim. Przymierzasz niezliczoną ilość wieczorowych sukien. Wreszcie, już zrezygnowana, decydujesz się na pierwszą, o której pomyślałaś, że... może być. Wrzucasz do bagażu. Jedziesz na lotnisko. Pocieszasz się, że jakoś to będzie. W hotelu okazuje się, że w sklepie nie zauważyłaś jej wszystkich mankamentów. Kreacja w tym świetle wygląda jakoś inaczej. Dostrzegasz, że wcale Ci w niej nie do twarzy. Wchodząc do sali balowej, przeżywasz rozczarowanie. Nie widzisz zachwytu na Twój widok. Kiedy siadasz na swoim miejscu, czujesz, że coś Ci przeszkadza. Nie możesz się schylić. W tańcu też odczuwasz dyskomfort. Masz wrażenie, że szew biegnący wzdłuż pleców za chwilę pęknie. Irytuje Cię to ciągle opadające ramiączko. Godziny mijają, a Ty najbardziej marzysz o uwolnieniu się od tego, co miało dodać Ci odwagi i pozwolić choć ten jeden, jedyny raz poczuć się naprawdę wspaniale. Nic Cię nie cieszy. Masz dość. Wracasz do pokoju. Stajesz przed lustrem i myślisz: „A miało być tak pięknie!”.

Tkanina przeznaczona na suknię to produkty składające się na Twój posiłek. Uwaga innych i podziw, który miała Ci zapewnić, to porcja energii, doskonałe samopoczucie i Twoje zdrowie. Wprawne ręce doświadczonego krawca, nożyce i nici to enzymy trawienne. (To rozkładające tłuszcze lipazy, proteazy pomagające trawić białko i amylazy. To specjaliści od węglowodanów). Tu niestety ich zabrakło. Niepasująca suknia, w dodatku w kiepskim gatunku, to zbyt długo gotowane, martwe danie bez świeżych warzyw. Twój dyskomfort podczas balu to fatalne samopoczucie po jedzeniu, które nie miało szans na to, by być dobrze strawione. To wzdęcia, ból brzucha i głowy, zmęczenie, a w konsekwencji tycie.

Mam nadzieję, że nigdy więcej nie będziesz dręczyć swojego ciała martwym jedzeniem (nie kupisz sukni, co do której nie masz stuprocentowego przekonania, że doskonale do Ciebie pasuje). Takie żywienie to nie wspieranie, ale wyjątkowo okrutne tortury.

Warto pamiętać, że u wszystkich otyłych stwierdza się niedobór enzymów.

Bakterie acidofilne

W ostatnich latach wiele osób dowiedziało się o tym, że jeśli chce się być zdrowym, trzeba dbać przede wszystkim o jelita. Żeby jednak mogły one dobrze funkcjonować, potrzebują, by „mieszkało" w nich odpowiednio dużo właściwych bakterii. Lubię nazywać je „kulturalnymi".

Niby coś w tym względzie wiadomo. Ale podobnie jak wokół innych informacji, których wprowadzanie w życie powinno służyć zdrowiu, jest wiele niedopowiedzeń. Niektóre produkty spożywcze zostały wypromowane tak bardzo, że mnóstwo osób, ufając reklamie, sięga po nie, kompletnie nie zastanawiając się nad ich wartością. Niestety za to, co ląduje w sklepowym koszyku, a następnie na talerzu, każdy z nas musi wziąć pełną odpowiedzialność.

Ja natomiast pozwolę sobie jedynie na pewną sugestię. W podręczniku do angielskiego dla ostatniej klasy liceum (*Oxford Excellence for matura — New exam extender*, w wydaniu 1. z roku 2011, w tekście „»Clever foods« are not such a smart buy") znajduje się tekst, w którym rzecznik jednej z bardzo popularnych zagranicznych marek wypowiada takie oto słowa: „Powinniśmy przyjrzeć się także probiotycznym jogurtom takim jak Actimel czy Yakult. Producenci twierdzą, że »dobre bakterie« w napojach ulepszają nasze trawienie i systemy immunologiczne poprzez niszczenie »złych bakterii«. Badania przeprowadzone przez organizację Consumers Assotiation zawierają dowód, że te argumenty nie są prawdziwe. Nie znaleziono żadnego dowodu na to, że te napoje działają korzystnie na nasze zdrowie. Inne badania, dla magazynu »Which?«, pokazują, że napoje są przepełnione cukrem. Zarówno Actimel, jak i Yakult są słodsze niż cola. (...) Rzecznik »Yakult« powiedział, że rolą napoju jest dostarczenie wysokiej liczby probiotycznych bakterii. Naturalnie są one bardzo kwaśne i bez słodzików byłyby nie do spożycia".

O moich bakteryjnych ulubieńcach pisałam już co nieco w książce *Zdrowie masz we krwi* (w rozdziałach: „Jak zapewnić sobie stały dowóz naturalnego uspokajacza?" oraz „O typach wątpliwego autoramentu i kulturalnych gościach"). Co chciałabym dodać w sprawie tych wyjątkowych sprzymierzeńców?

Bakterie acidofilne to niewątpliwie druga (obok enzymów) grupa pomocników wspierających prawidłowe funkcjonowanie układu pokarmowego. Strefa ich działań to przede wszystkim jelito. A jak wiadomo, jego stan ma wpływ na absolutnie cały organizm. Stosowane, jeśli nie systematycznie, to przynajmniej okresowo, z pewnością są fundamentem dobrego samopoczucia, zdrowia i ładnego wyglądu. Informacji na ich temat można znaleźć już całkiem sporo. Dzięki wszechobecnej reklamie (choć jak wynika z zacytowanej wyżej wypowiedzi, z rzetelnością przekazu różnie bywa) nawet małe dzieci wiedzą, że powinny jeść produkty z „dobrymi" bakteriami.

Podczas wykładów często tłumaczę, że „kulturalna" bakteria jest organizmem wyjątkowo człowiekowi przyjaznym, ale niestety niezbyt silnym. Żeby przetrwać, potrzebuje odpowiedniego dla siebie środowiska. Łatwo to zrozumieć, jeśli wyobrazimy ją sobie np. jako owieczkę, która żeby być zdrową, a dzięki temu zdolną do działania, musi paść się na łączce. Tą „łączką" powinien być dla niej odpowiednio skomponowany posiłek (z pewnością nie cukier, o którym mowa w przygotowującym do matury podręczniku angielskiego). Jeśli jednak tak dobrze nie jest, można skorzystać z pomocy tego, co bywa określane jako superżywność. To m.in. odkwaszające organizm algi czy wspomniana już wcześniej lucerna. W takiej roli doskonale sprawdza się swego rodzaju błonnikowa miotła, czyli nopal (kaktus gruszkowy, oczywiście bez kolców). Moje doświadczenie pokazuje, że najwięcej dobrego może zdziałać w przypadku osób z grupą krwi A. Znam osoby z grupą B, którym pomogła. Jednak ze względu na to, że opuncja (nopal) w zestawieniach dla poszczególnych grup krwi jest na tzw. minusie, radziłabym raczej od niej stronić. Na marginesie dodam, że podobnie jak jukka, do spełnienia swojego zadania potrzebuje dużych ilości ciepłej (nie gorącej) wody.

Pamiętaj, pałeczki kwasu mlekowego to jeszcze nie wszystko. Żeby działać na Twoją korzyść, a nie przeciwko Tobie, potrzebują sprzyjających warunków do rozwoju. Jeśli mają wygrać z panoszącymi się w organizmie intruzami, oczekują wsparcia. Podobnie jak małe dziecko. W kochającej się, dobrej rodzinie rozkwitnie, a dzięki temu świetnie poradzi sobie w dorosłym życiu. W patologicznej niewiele zdziała, a może nawet zmarnuje się i swoje złe postępowanie skieruje przeciwko własnej familii.

Na rynku obok probiotyków („dobre" bakterie) i prebiotyków (zawierających „łączki") pojawiają się symbiotyki (w ich składzie znajdziesz jedne i drugie). Warto szukać tych z fruktooligosacharydami, będącymi świetną pożywką dla „kulturalnych" żyjątek.

Rhodiola rosea

Jest wiele dobrych preparatów, którymi przynajmniej okresowo warto wesprzeć proces zmierzający do rozstania się z nadmiernym obciążeniem. Przewlekły stres zwiększa apetyt, pogarsza jakość trawienia, zwiększa zakwaszenie, powoduje zatrzymywanie wody i odkładanie tłuszczu. Jeśli zajadasz problemy, a jak na razie nie widzisz sposobu na ich rychłe rozwiązanie, dobrym pomysłem jest sięgnięcie po wyciąg z rośliny *Rhodiola rosea*. Z kolei na doraźny silny stres ratunkiem może okazać się dobry kompleks witamin z grupy B, najlepiej w połączeniu z witaminą C i magnezem.

Kompleks dedykowany grupie krwi

Może warto pomyśleć o preparacie witaminowo-mineralnym? Ideałem będzie przeznaczony dla Twojej grupy krwi. Znajdziesz w nim nie tylko życiodajne witaminy i sole mineralne, ale i składniki roślinne. „Zerówka", przy swoim upodobaniu do mięsa, dostanie m.in. oczyszczającą stawy jukkę. Grupa A wspierającą układ krążenia antyoksydacyjną zieloną herbatę. Osoba z grupą B, obok innych składników wzmacniających jej słabe punkty, może liczyć na wspierające odporność ekstrakty z grzybów Shiitake i Reishi. A ta, w której naczyniach płynie krew oznaczona jako AB, m.in. chroniącą układ moczowy (przed inwazją bakterii) żurawinę.

Koenzym Q10

Wiele do zrobienia w organizmie (również w czasie odchudzania) ma niezwykle ważna substancja, której produkcja niestety zmniejsza się z wiekiem. U nas częściej bywa kojarzona z odmładzającym kremem do twarzy niż z paliwem dla absolutnie każdej komórki. To koenzym Q10.

Ponieważ pobudza metabolizm, sprzyja utracie masy ciała. Dlatego wspominana już tu (przy omawianiu Niezbędnych Nienasyconych Kwasów Tłuszczowych) brytyjska specjalistka od zdrowego żywienia Gillian McKeith zaleca go również odchudzającym się. Proponowana przez nią dawka to aż 100 mg na dobę.

Co jeszcze?

Jako wsparcie w pozbywaniu się nadwagi można potraktować spirulinę. Nie tylko ze względu na doskonałej jakości kompletne białko, ale i jej zdolność do regulowania poziomu cukru we krwi, a tym samym ograniczania napadów apetytu. Podobnie (jeśli chodzi o stężenie cukru we krwi) działa L-karnityna. Napady głodu pomaga opanować hydroksykwas cytrynowy HCA pozyskiwany z pochodzącej z Tajlandii i południowych Indii rośliny o nazwie

Garcinia cambogia. Warto mieć na względzie dobry (wartościowość) chrom czy spalającą zgromadzony w organizmie tłuszcz lecytynę.

Suplementy diety, jak sama nazwa wskazuje, służą do uzupełniania braków występujących w posiłkach. I tak właśnie należy je traktować, a nie używać ich, jak wiele osób sądzi, do zastępowania pokarmu. Wprowadzenie ich na czas pozbywania się nadwagi czy na dłuższy okres również nie powinno usprawiedliwiać przyjmowania pożywienia o niewielkiej wartości odżywczej. Moim zdaniem nazwę określającą ten rodzaj dietetycznego wsparcia powinno się dodatkowo opatrzyć przymiotnikiem „dobry". Suplementy dobrej diety — prawda, że brzmi interesująco? A co najważniejsze, sugeruje, że to, co na talerzu, również, a może i przede wszystkim, ma ogromne znaczenie.

Słoneczna witamina

Jeszcze do niedawna w świadomości zwykłego śmiertelnika witamina D była jedynie środkiem zapobiegającym krzywicy. To, co o niej również dość powszechnie wiadomo, to fakt, że dla jej wytworzenia w organizmie skóra powinna być wystawiona na działanie promieni słonecznych. Dlatego zdolność do jej produkcji jest uzależniona od szerokości geograficznej, pory roku, pory dnia, stosowania filtrów przeciwsłonecznych, pigmentu skóry i wieku. Niektórzy wiedzą również, że po to, aby została przekształcona w formę w pełni aktywną, musi zostać zmetabolizowana w wątrobie i nerkach.

Ostatnio sytuacja w tym względzie dość radykalnie się zmienia. Każdy rok przynosi kolejne bardzo istotne odkrycia. W mediach coraz więcej doniesień o jej walorach mało bądź zupełnie dotąd nieznanych. Okazuje się, że to nawet nie witamina, a hormon steroidowy. Podobno żyjemy w czasach jej (czy jego) wyjątkowo niskiego poziomu. W samych Stanach Zjednoczonych niedoborem tej substancji dotkniętych jest aż 85% obywateli. W przypadku osób starszych to jeszcze 10% więcej. To, że brakuje jej (w szczególności zimą) mieszkańcom Wysp Brytyjskich, jest zrozumiałe. Ale że w Australii, jednym z najbardziej wystawionych na działanie słońca krajów świata, aż jedna na trzy osoby może cierpieć na niedobór tej jakże ważnej dla zdrowia witaminy, to fakt już nie tak oczywisty.

Udowodniono wpływ witaminy D nie tylko na stan kości, ale i naczyń krwionośnych. Na sprawność układu immunologicznego, nastrój, funkcje poznawcze, ochronę przed nadciśnieniem, alergiami, stwardnieniem rozsianym, chorobą Alzheimera i schorzeniami autoagresyjnymi. Na utrzymanie sprawności układu rozrodczego i na syndrom przedmiesiączkowy.

Dlaczego jednak o witaminie D w książce o odchudzaniu? Oczywiście to nie przypadek. Podobno istnieją wystarczająco przekonujące dane mówiące o tym, że właściwy jej poziom ma duże znaczenie dla utraty zbędnych kilogramów. Sherrill Sellman (doktor neuropatii, psychoterapeutka, autorka dwóch bestsellerów: *Hormonalna herezja — co kobiety powinny wiedzieć o swoich hormonach* i *Co kobiety powinny wiedzieć, aby ochronić swoje córki przed rakiem piersi*) w swoim artykule zatytułowanym *Brakujące elementy układanki związanej z odchudzaniem* pisze o jej ogromnej roli w tym czasami niełatwym do przeprowadzenia procesie. Uważa ona, że jeśli ktoś cały czas odczuwa łaknienie, powinien sprawdzić poziom witaminy D. Tym, co odpowiada za ten wyjątkowy, zdecydowanie nadmierny i nie do zaspokojenia apetyt, jest związek między niskim poziomem słonecznej witaminy i produkowanego w komórkach tłuszczowych hormonu o nazwie leptyna (o niej i jej kuzynce grelinie jest mowa również w podrozdziale „W objęciach Morfeusza"). Do leptyny należy wysyłanie sygnału, że żołądek nie zmieści już niczego więcej. Niestety jej efektywność zaburza zbyt niski poziom witaminy D. Podobno szkoccy naukowcy odkryli, że osoby otyłe produkują ją w ilościach dużo niższych niż te, które nie dźwigają nadmiernych kilogramów. W dodatku tłuszcz, absorbując ją, nie pozwala jej na wejście do krwioobiegu. Autorka artykułu ostrzega, że ludzie z nadwagą nie powinni unikać słońca i wyraźnie zaleca, by korzystali z suplementów zawierających witaminę D.

W objęciach Morfeusza

Każdy, kto bardziej czy mniej regularnie uczestniczy w prowadzonych przeze mnie (on-line lub na żywo) wykładach, wie, że niemal nigdy nie pomijam znaczenia odpowiednio długiego i realizowanego o właściwej porze snu.

Dlaczego to takie ważne?

Kiedyś wydawało mi się, że najefektywniej potrafię pracować w nocy. Skutki tego trwającego wiele lat procederu były takie, że rano (nie znowu aż tak wcześnie) ciężko było się podnieść, a dzień rzadko udało się przetrwać bez przyłożenia głowy do poduszki. Chociażby na chwilę. Godzinką ani dwiema też nie gardziłam. Wieczorem znów przypływ energii, praca do późna, a następnego dnia to samo. Wiele osób twierdziło, że moim chronotypem jest sowa, a ja żyłam w przekonaniu, że widocznie „taka moja uroda".

Do tego, że nie jest to scenariusz najlepszy z możliwych, doszłam przypadkiem. Któregoś razu, już nie pamiętam z jakiego powodu (musiał być jakiś, ponieważ „normalną" godziną była druga lub trzecia w nocy), położyłam się przed 22. Rano miałam wrażenie, że wszystko wokół jest jakieś inne, a ja wyglądam na... sporo młodszą! Było to ciekawe i ważne doświadczenie.

Nie wystarczy dobrze jeść i pić. Trzeba również spać. I to nie wtedy, kiedy uznasz, że nie masz już nic ciekawszego do zrobienia, ale w czasie, który wyznaczyła nam Matka Natura. Okazuje się, że uwagę na to zwracają nie tylko naukowcy „od człowieka". Już wieki temu wspaniałą sentencję na temat wagi tego jakże ważnego w życiu czynnika wygłosił William Szekspir. Od niego dowiadujemy się, że...

Już od co najmniej kilku lat nie mam żadnych wątpliwości co do tego, że miał rację. Potwierdza to doświadczenie moje i wszystkich najbliższych mi osób.

Jeśli to nie do końca Cię przekonuje, może za bardziej istotny uznasz inny argument. Sporo ostatnio mówi się o (wspomnianej w poprzednim rozdziale) leptynie. Z pewnością naukowcom przyjdzie jeszcze wiele wyjaśnić, ale to, co już wiadomo, to fakt, że zaburzenia w wytwarzaniu tego hormonu prowadzą do nadwagi i otyłości. W bardzo dużym uproszczeniu można powiedzieć, że leptyna (nie bez powodu zwana molekułą informacyjną) wysyła komunikat do mózgu, by dał znać całej reszcie, że czas przestać jeść i zacząć się ruszać. Jeśli zarywasz noce, organizm nie wytwarza wystarczających ilości białka (leptyna to białko) pełniącego rolę strażnika czuwającego, by nie przesadzić z ilością pochłoniętego pożywienia. Innym ważnym hormonem (o którym też już była mowa) zależnym od ilości i jakości snu jest grelina. Ta z kolei wysyła informację o głodzie. W badaniach przeprowadzonych na dwóch grupach osób (śpiących jedynie cztery godziny i aż dziewięć) wyszło, że ci, którzy sypiali krócej, mieli aż 71% hormonu głodu więcej niż osoby, które regularnie się wysypiały. Wniosek jest prosty: mniej śpisz, więcej jesz i nie masz ochoty na zdrowy ruch. Za to, o dziwo, szczególnie chętnie pokonujesz trasę między kanapą a lodówką. Osoba zmęczona częściej sięga po coś kalorycznego, bez wartości odżywczej.

Jeśli taki mało efektywny dzień zdarzy się raz od wielkiego dzwonu, organizm w nieprawdopodobnej łaskawości swojej puści to w niepamięć. Jeżeli jednak zdarza Ci się to często i niepostrzeżenie staje normą, wcześniej czy później zaczną się problemy, objawiające się nie tylko nadwagą.

Ludzie potrafią zrobić wiele, by uniknąć dyskomfortu. Zrobią też niejedno, by sięgnąć po to, co przyjemne. A przecież sen jest nie mniej przyjemny niż smaczne jedzenie. Dlaczego więc tak często, myśląc, że uda się oszukać samego siebie, skracasz go do minimum?

O innym sprawcy tycia, czyli kortyzolu, wiedza staje się coraz bardziej powszechna. Wiem, że dotyczy to przynajmniej osób, które korzystają z moich porad. Ogromną radość sprawia mi czytanie korespondencji, w której znajduję stwierdzenia typu: „Wiem, że to sprawka kortyzolu". Warto wiedzieć i pamiętać, że wydzielanie tego hormonu jest bardzo ściśle powiązane z rytmem dobowym. W dobrze funkcjonującym organizmie najwięcej powinno go być rano. Kiedy dzień się kończy, jego ilość winna się zmniejszać. To ważne z wielu względów. Skoro jednak poruszamy się wokół tematyki związanej z nadwagą, przypomnę jedynie, że kontroluje sposób, w jaki organizm przetwarza zarówno węglowodany, tłuszcze, jak i białka.

Nie należy zapominać również o hormonie wzrostu. Nie bez powodu mawia się, że dzieci rosną, kiedy śpią. Dlaczego więc ważny jest także dla dorosłych? Okazuje się, że w ich ciałach też ma wiele do zrobienia. To dlatego, że bierze udział w regulowaniu masy mięśniowej i ma wpływ na gospodarkę tłuszczową.

Sen sprzyja nie tylko zachowaniu zdrowia. Skoro przesypiasz $^1/_3$ życia (siedemdziesięciopięciolatek ma za sobą jakieś 25 lat snu), warto zadbać o jego jakość. Nieodpowiednie wykorzystanie tego czasu byłoby nie lada ignorancją. Przecież to aż ćwierć wieku!

Najprawdopodobniej długość snu zależy od stopnia rozwoju mózgu. Małe ptaki potrzebują go niewiele. My natomiast powinniśmy oddawać się marzeniom sennym przez całą noc. Możesz powiedzieć, że przecież geniusz Leonardo da Vinci zadowalał się jedynie krótkotrwałym „resetem". To prawda. Podobno wystarczało mu tylko dziewięćdziesiąt minut na dobę. W dodatku w kilku piętnastominutowych odcinkach. Napoleon, a także nasz wybitny rodak Karol Wojtyła, również sypiali niewiele. Ale osoby te należą do wyjątków, których nauka nie potrafi jeszcze wyjaśnić. Zdecydowana większość z nas po prostu potrzebuje solidnie się wyspać.

To chyba nie przypadek, że w mitologii greckiej bóg marzeń sennych to postać o wielkiej mądrości i ładnie prezentującej się szczupłej sylwetce. Jeśli zależy Ci na dobrym, wychodzącym na zdrowie, wartościowym towarzystwie, to może warto nie rezygnować każdej nocy z błogiego odpoczynku w objęciach Morfeusza?

4

Skąd te różnice i po co ta wiedza?

Załóżmy, że Ty masz 0 i ja mam 0. Mimo to jesteśmy inni. Jak to możliwe?

No właśnie! Skąd te różnice?

Jak się zapewne domyślasz, dieta i w ogóle życie (m.in. aktywność fizyczna i kontrola stresu) zgodne z grupą krwi, choć świetnie pokazuje właściwy kierunek, nie stanowi panaceum na wszystkie bolączki tego świata. Na ukształtowanie osoby, którą nazywamy dorosłą, od momentu poczęcia do chwili, gdy osiąga (przynajmniej społeczną) dojrzałość, dzień po dniu wpływa ogromna liczba czynników. Z pewnością tym najbardziej podstawowym jest środowisko, w jakim wychowuje się i wzrasta. Wszystko, co zdarza się po drodze, odciska na niej swoje piętno. Jest balastem, ciążącym brzemieniem bądź sukcesją. Zresztą proces rozwoju ciągle trwa. Myślę, iż zgodzisz się ze mną, że na sposób bycia człowieka na co dzień czy jego reakcje w sytuacjach ekstremalnych wpływają zasoby już posiadane (również te genetyczne), a także to, co czyta, czego słucha, z kim przebywa (to znów środowisko), jaka jest jego aktualna sytuacja osobista, materialna czy status społeczny. Znaczenie ma każdy z elementów tej życiowej układanki, a grupa krwi jest jednym z nich.

Zobaczmy to na przykładach.

Załóżmy, że genetycznie predysponowana do osiągania w mgnieniu oka wybitnie wysokiego poziomu adrenaliny „zerówka" w okolicznościach, w których trudno o spokój, zachowa zimną krew, nie da się sprowokować czy ponieść niezdrowym emocjom.

Możesz wówczas pomyśleć: „Przecież ludzie z grupą krwi 0 w takim położeniu reagują inaczej". I będzie w tym sporo racji. Jeśli jednak jest to osoba w każdej dziedzinie życia spełniona, a dzięki temu szczęśliwa, więc i spokojna, najprawdopodobniej i w wyjątkowo trudnych warunkach będzie w stanie zapanować nad swoją nad wyraz porywczą naturą.

Wyobraźmy sobie inną sytuację. Niech jej bohaterem pierwszoplanowym będzie ktoś, kto z racji posiadanej grupy A dotychczas robił może nie wszystko dla wszystkich, ale znacznie więcej, niż musiał, powinien, czy od niego oczekiwano. Ale frustracja z powodu niekończącego się pasma codziennych mniejszych i większych trudności sięgnęła zenitu. Dlatego podejmuje decyzję: „Dość! Wystarczy! Ja też jestem ważny (ważna). Nie mogę już dłużej nieść na swoich barkach odpowiedzialności za szczęście wszystkich razem i każdego z osobna. Od dziś chcę żyć przede wszystkim dla siebie". Osoba, w której naczyniach płynie krew oznaczona jako A, dotąd cierpiąca za miliony, zawiedziona brakiem wdzięczności ze strony tych, dla których do tej pory robiła zbyt wiele, wreszcie się buntuje. Życie ucieka, a na horyzoncie nie widać jaskółek zwiastujących istotne zmiany. Dlatego postanawia, że konieczną metamorfozę (tak naprawdę dla dobra wszystkich) zacznie od siebie. I choć nadal gdzieś w głębi duszy zmaga się ze sobą, czy aby na pewno ma do tego prawo, przynajmniej do otoczenia wysyła w miarę konkretny komunikat: „Od dziś nie możecie liczyć na mnie zawsze i wszędzie. Już nie!". Wprawdzie jeszcze nieraz się ugnie, ale przynajmniej postanawia. Znów na bieg wydarzeń miało wpływ otoczenie, czyli środowisko.

Tak więc, jak widzisz, choć grupa krwi jest czynnikiem szalenie ważnym, to jednak nie jedynym istotnym.

Będąc w posiadaniu wiedzy dotyczącej modelowej osobowości każdej z grup, możesz zastanawiać się, dlaczego w konkretnej sytuacji nie jest tak, jak sugerują czy podpowiadają źródła. Nie jest, chociażby z tego względu, że podstawowa grupa krwi (0, A, B czy AB) to jeszcze trochę za mało. Żeby na dobre zdać sobie z tego sprawę, przyjrzyjmy się komuś jeszcze.

W rodzinie jest dwoje dzieci tej samej płci. Różnica wieku między nimi to niespełna rok. Mimo to mocno różnią się nie tylko wizualnie. Od małego są zupełnie inne. Przyjaźnią się z rówieśnikami o odmiennych temperamentach. Preferują inny rodzaj zabaw i mają kompletnie niepodobne zainteresowania. Te różnice są tak widoczne, że nawet osoby postronne, przyglądając się im, potrafią powiedzieć: „To zdumiewające, że dzieci mają tych samych rodziców i wychowują się w tym samym domu".

Pierwszą myślą, która w takich okolicznościach powinna przyjść do głowy, jest to, że nasze korzenie sięgają bardzo, bardzo głęboko. Absolutnie każdy z nas, jeśli nawet nie miał możliwości poznania swoich przodków, a może i nie posiada żadnej wiedzy na ich temat, z pewnością ich miał. Takich, a nie innych. Tego nie można już zmienić ani skorygować. Nie da się odwrócić. Taka możliwość po prostu nie istnieje. Idealnie byłoby, gdyby każdy z nas w kilku kolejnych pokoleniach miał protoplastów z identyczną grupą krwi. Ale w zdecydowanej większości przypadków to raczej niemożliwe, a przynajmniej bardzo mało prawdopodobne.

Wiesz już coraz więcej. Być może jednak jeszcze zastanawiasz się, po co Ci ta cała wiedza o grupach krwi. Dlaczego w dodatku ma Ci się przydać w odchudzaniu?

Jeśli zadajesz sobie podobne pytania, spieszę z odpowiedzią. To przede wszystkim skarbnica informacji o predyspozycjach i zasobach. O tym, co masz w sobie, ponieważ w tak szczególny sposób wyposażyła Cię natura. Zrobiła to za pośrednictwem Twoich krewnych, którzy pojawili się tu na długo przed Tobą. Dysponujesz

czymś, z czego masz możliwość z korzyścią dla siebie czerpać pełnymi garściami. Natomiast ignorując to, co już dla Ciebie odkryto, możesz nieświadomie tę ogromną siłę skierować przeciwko sobie. Mam nadzieję, że podobnie jak ja, wolisz pierwszą z opcji. Jeśli tak, zapraszam do dalszej lektury.

5

Twoja grupa krwi już to wie

Zalecenia dla poszczególnych grup krwi nie zostały stworzone po to, by odchudzać.

Czyżby w tym momencie pojawiło się u Ciebie lekkie zaniepokojenie? Spokojnie. Czytaj dalej.

Pozbywanie się nadmiernego obciążenia jest naturalnym efektem właściwego postępowania z własnym ciałem. Odpowiednia dieta w połączeniu ze zgodną z Twoimi preferencjami i genetycznymi predyspozycjami aktywnością fizyczną to klucz otwierający drzwi prowadzące nie tylko do dobrego samopoczucia. Nieuniknionym pozytywnym efektem takiego postępowania jest również świetny wygląd, jasny umysł, pokłady czystej, dobrej energii, a dzięki temu zadowolenie i życiowa satysfakcja.

To najlepszy sposób na wydobycie z własnego organizmu jego wyjątkowych, może nawet do niedawna zupełnie nieuświadamianych możliwości. To szansa na wykrzesanie z siebie samego tego, co najlepsze. Wykorzystując drzemiący w sobie potencjał, masz szansę na realizację własnych zamierzeń, a dzięki temu samorealizację. Kto nie chciałby u schyłku życia móc powiedzieć: „Moje życie było i jest w dalszym ciągu satysfakcjonujące. Jestem człowiekiem spełnionym".

Wiadomo, że znacznie łatwiej osiągnąć ten stan, będąc zdrowym. (Zdarza się oczywiście i tak, że ktoś odkrywa swoje nieuświadamiane wcześniej zdolności, ulegając wypadkowi czy wówczas, kiedy na skutek ciężkiej choroby zostaje przykuty do wózka inwalidzkiego.

To jednak wyjątki. Mam nadzieję, że nie taka sytuacja jest Twoim marzeniem). Z pewnością dodatkowym atutem (choć w wielu przypadkach niekoniecznym) jest ładne i sprawne ciało.

Co zrobić, by być zdrowym i szczupłym?

Jeśli Twój organizm nie został wyposażony w czynniki ułatwiające trawienie mięsa, uszanuj to i dostarczaj mu przede wszystkim pożywienie roślinne. Jeżeli nie radzi sobie z przyswajaniem mleka, nie torturuj go hektolitrami produktów, które właśnie pojawiły się na rynku. Takich, które na skutek dopracowanej do perfekcji kampanii reklamowej znikają ze sklepowych półek jak przysłowiowe ciepłe bułeczki. To, że kupują je inni, Ciebie wcale nie obliguje do ich nabywania. Może akurat pod tym względem nie będziesz trendy czy cool. Za to zwiększysz szansę na zachowanie dobrego samopoczucia. Pamiętasz wzmiankę o Actimelu?

Żeby uniknąć błędów w doborze tego, co ma Ci służyć, wspólnie dokonajmy przeglądu podstawowych cech, które warto uwzględnić przy wspieraniu organizmu w dążeniu do odnowy, a nie samozagłady. Wiem, że ostatnie słowo w poprzednim zdaniu brzmi ostro. Ale jak inaczej nazwać działanie skierowane przeciw własnemu zdrowiu, nawet jeśli jest nieświadome? Jak nazwać opychanie się przez otyłego astmatyka nabiałem, który ma niby zapobiec problemom z kośćmi? Jeśli nie zmieni swego postępowania, kłopoty z oddychaniem (ze względu na wybitnie śluzotwórcze działanie mleka i jego przetworów) pogłębią się, a kości w coraz bardziej zakwaszonym organizmie wcale nie staną się silniejsze. Jeśli i zatoki bywają problematyczne, z pewnością przy takiej diecie będą przypominać o sobie nad wyraz często.

Z jedzeniem jest podobnie jak z prawem. Nieznajomość tego drugiego w razie popełnionego wykroczenia wcale nie zwalnia od ponoszenia konsekwencji.

Kiedy przestajesz karmić swoje ciało produktami źle trawionymi bądź toksycznymi, pierwszą reakcją organizmu jest pozbywanie się nagromadzonych przez lata trucizn. Biorąc pod uwagę to, że najczęściej są one skumulowane w tkance tłuszczowej, wraz z uwalnianymi truciznami zaczyna ubywać również tłuszczu.

Wszystko, co jesz, bardzo intensywnie oddziałuje na system trawienny, a on pośrednio na pozostałe układy. Tak więc ten, który w pewnym sensie zawiaduje całą resztą, jest najważniejszy. Dlatego dla własnego dobra pamiętaj, że to ten obszar organizmu trzeba otoczyć szczególną i nadzwyczaj troskliwą opieką.

Kilka uwag o charakterze ogólnym

Skoro w dużej mierze składasz się z wody, warto zadbać o to, by ta, którą spożywasz każdego dnia, była możliwie najlepszej jakości. Krew jest filtrowana przez nerki, które oczyszcza woda. Dlatego rozsądnie będzie zrezygnować z tej sprzedawanej w plastikowych opakowaniach. Sporo ostatnio mówi się o występującym w tym tworzywie niebezpiecznym dla zdrowia bisfenolu. Warto wiedzieć, że absolutnie nie do przyjęcia jest picie wody z takich butelek w czasie upałów. Pod wpływem temperatury otoczenia substancje chemiczne z plastiku przechodzą znacznie szybciej do płynu, a za jego pośrednictwem do organizmu.

Ideałem byłoby jedzenie tylko żywności z upraw i hodowli ekologicznych. Jednak chyba podobnie jak ja, nie masz wątpliwości, że taki luksus, przynajmniej w naszym kraju, jest dostępny jedynie dla nielicznych. Dlatego warto robić przynajmniej tyle, ile jest możliwe. Marchew kupiona w hipermarkecie nie nadaje się do jedzenia (najlepiej wiedzą o tym alergicy). Ale już pozyskanie jej z przydomowej grządki czy działki za miastem to przynajmniej mały krok w pożądanym kierunku.

Mam nadzieję, że osobie zmierzającej ku zdrowiu i szczupłej sylwetce nie trzeba tłumaczyć, iż dla żadnej z grup krwi nie są wskazane dania typu fast food i w ogóle żywność przetworzona. Oczywiście alkohol nie jest dobrym rozwiązaniem, a już na pewno nie spożywany w większych ilościach i na dodatek w stresie. Podobnie rzecz ma się z kofeiną (w przypadku A i AB filiżanka dziennie zamiast szkodzić, będzie pomagać). Dla żadnej z grup krwi nie jest również korzystna (ani nawet obojętna) wieprzowina. Jeśli mimo wszystko nie chcesz rezygnować z tego gatunku mięsa (moja rodzina nie je go już od kilku lat, więc wiem, że to nie problem), unikaj chociaż karkówki i tylnej szynki (to miejsca, w które są wstrzykiwane hormony, antybiotyki, a przed transportem środki psychotropowe!!!).

Pozytywnym zjawiskiem jest to, że coraz więcej osób, które nie muszą stosować diety bezglutenowej, świadomie rezygnuje z produktów zawierających agresywne białko, jakim jest gluten. Szczerze zachęcam do takich kroków. Choć świadomość jego szkodliwości jest u nas jeszcze ciągle zbyt niska, od kilku lat mamy organizację, którą zawiadują osoby nieprawdopodobnie zaangażowane w szerzenie tej niezwykle ważnej wiedzy. Inicjatywy podejmowane przez nie zasługują na najwyższe uznanie. To pięć absolutnie niezwykłych kobiet: Małgorzata Źródlak, Grażyna Konińska, Paulina Sabak, Anna Marczewska i Sylwia Mikulec.

Jako rodzic dziecka na diecie bezglutenowej wiem, jak ogromne znaczenie mają podejmowane przez nie działania. Dzięki ich poczynaniom problem glutenu jest poruszany coraz częściej w prasie (to już kilkaset artykułów!). To także od niedawna temat obecny w radiu i telewizji. To konferencje dla dietetyków i lekarzy. To również warsztaty pokazujące, jak na co dzień radzić sobie z przygotowywaniem bezglutenowych posiłków. To kolonie i zimowy wypoczynek dla dzieci na diecie, które normalnie miałyby problem z wyjazdem bez rodziców. To dzięki nim w coraz większej liczbie restauracji w naszym kraju osoba, która nie może spożywać glutenu, nie jest już kłopotliwym intruzem, ale mile widzianym gościem (wykaz takich lokali znajduje się na *www.MenuBezGlutenu.pl*). To coraz więcej produktów spożywczych właściwie oznaczonych. Wreszcie to dzięki nim przystępujący do komunii mają możliwość otrzymania komunikantu, który nie zawiera glutenu.

W samej tylko Polsce problem dotyczy ponad 380 000 osób. W tej liczbie są wyłącznie te zdiagnozowane. Każdego miesiąca ich liczba się zwiększa. Trudno powiedzieć, jak wielu dorosłych i dzieci nigdy nie otrzyma prawidłowego rozpoznania i będzie żyło w nieświadomości, że to również ich problem.

Więcej informacji na temat wszystkich inicjatyw znajdziesz na stronie Polskiego Stowarzyszenia Osób z Celiakią i na Diecie Bezglutenowej (*www.Celiakia.pl*). Przed każdą z pań, wymienionych tu z imienia i nazwiska, w podziękowaniu za ich trud i niebywałe zaangażowanie, nisko chylę czoła.

Dlaczego o tym w książce o odchudzaniu?

Bo żywność niezawierająca glutenu (bez względu na to, jaką masz grupę krwi), nawet jeśli dla Ciebie nie jest warunkiem przetrwania, z pewnością jest dobrym wyborem. Oszczędzając jelito, nie tylko redukuje nieprzyjemne sensacje trawienne, ale wpływa na zdrowie całego ciała, jasność umysłu, zdolność koncentracji i lepsze nastawienie do życia. A jeśli od czasu do czasu lubisz sprawić sobie przyjemność w postaci przepysznego ciasta, to pozbawione glutenu będzie dla organizmu znacznie mniej obciążające. Jeśli myślisz, że to trudne albo, co gorsza, niemożliwe, polecam porady mojego młodszego dziecka, które znalazło wyjście ze swojej trudnej sytuacji zdrowotnej i z wielkim zaangażowaniem pomaga osobom z podobnym problemem *www.Natchniona.pl*.

Rozumiesz już, że gluten nie służy nikomu. Zdajesz sobie sprawę z tego, że jakość wody, której potrzebujesz do zdrowego funkcjonowania, może być różna. Wiesz, z jakich produktów warto zrezygnować bądź przynajmniej starać się ich unikać.

Teraz już zajmijmy się wskazówkami dla każdej z grup krwi.

Jeśli chodzi o podstawowe zalecenia, produkty spożywcze dzieli się na trzy kategorie. Zabronione (1), te, które warto włączyć do diety (2), oraz obojętne (3), czyli takie, które nie stanowią dla organizmu szczególnej wartości. Wbrew pozorom o tych ostatnich nie należy zapominać, ponieważ stanowią urozmaicenie i dodatkowe, istotne źródło składników odżywczych. Pierwszym i najważniejszym krokiem do zdrowia i szczupłego ciała jest wyeliminowanie produktów na tzw. minusie.

Grupa krwi 0

Wiele „zerówek" ma tendencję do niedoczynności tarczycy. Konsekwencją tego może być zatrzymywanie płynów w organizmie i zmęczenie, nadwaga, a nawet zanik mięśni. Dlatego bardzo ważne jest, by zdawać sobie sprawę, że produktami hamującymi prawidłowe działanie tego gruczołu w grupie 0 są: kalafior, brukselka, kapusta (prócz włoskiej) i gorczyca. Przybieranie na wadze powoduje również zaburzająca równowagę kwasową w żołądku pszenica i wszystkie produkty zawierające wspomniany już gluten, a także zwalniająca metabolizm kukurydza. Jeśli chcesz schudnąć, warto zrezygnować również z fasoli i soczewicy. Nie pomaga Ci także, oblepiający śluzem nie tylko jelita, nabiał, czyli mleko i wszelkie jego pochodne. Do obojętnych należy jedynie masło, ser feta i mozzarella.

Korzystnymi produktami przyspieszającymi utratę kilogramów są zawierające jod (usprawniający działanie tarczycy) **wodorosty**. Godne uwagi są **owoce morza** (w tym ryby, szczególnie te z zimnych mórz, czyli makrela, dorsz i śledź — nie marynowany, inne korzystne to biały i żółty okoń, halibut, jesiotr, łosoś — nie wędzony, sardynka, sieja, sola, szczupak, tuńczyk błękitnopłetwy). Niezbędne Nienasycone Kwasy Tłuszczowe obecne w rybach wspierają nie tylko jelito, które bywa problematyczne w tej grupie krwi, ale również tarczycę i skłonny do nadkwasoty żołądek. Ponieważ nie zawsze potrafi oprzeć się atakowi intruza o nazwie *Helicobacter pylori*, warto mieć na względzie jego dobrą kondycję. Niebagatelną zasługą NNKT jest także odżywianie mózgu.

Dobrym wyjściem dla „zerówki", często cierpiącej na niedobór witamin z grupy B, jest bogata w nie (najlepiej pochodząca od zwierząt hodowanych w naturalnych warunkach) **wątroba**. Wydajnemu metabolizmowi sprzyja **wołowina**. Organizm grupy 0 doskonale radzi sobie z jej strawieniem, ponieważ w jego naturalnym wyposażeniu znajduje się wystarczająca do tego ilość kwasu żołądkowego. Dodatkowym atutem jest wyższy niż u innych poziom fosfatazy jelitowej. To enzym, który pomaga w rozkładaniu tłuszczu. O białku zwierzęcym powinny również pamiętać osoby z tendencją do hipoglikemii. Mimo dobrych warunków, by radzić sobie z tym rodzajem pokarmu, należy pamiętać, że dla tego, kto stroni od aktywności fizycznej, białko pozyskiwane z mięsa może stać się toksyczne. A to najprostsza droga do problemów trawiennych, zmęczenia i nadwagi.

W diecie grupy 0 absolutnie konieczne są również warzywa. Niestety nie wszystkie. Szczególnie przeciwwskazane wymieniłam już w odniesieniu do zaburzeń w działaniu tarczycy. Wiem, że trudno przyjąć do wiadomości, iż osobie odchudzającej się może popsuć szyki smakujący wybornie, pysznie przyrządzony kalafior. Jednak jeśli zależy Ci na pozbyciu się tłuszczowych nadmiarów, warto zastąpić go brokułami. Twoim sprzymierzeńcem w odchudzaniu będzie również szpinak.

A co z owocami? Bardzo korzystne są zarówno świeże, jak i suszone **śliwki i figi**. To dlatego, że w przewodzie pokarmowym wykazują odczyn zasadowy. Jest to szczególnie istotne w sytuacji, kiedy u „zerówki" trakt pokarmowy charakteryzuje się wysoką kwasowością prowadzącą do podrażnień błony śluzowej i wrzodów. Przy doborze owoców odczyn zasadowy nie może być oczywiście jedynym kryterium. Takim przykładem jest melon. Mimo jego alkaliczności, ze względu na to, iż często zawiera zarodniki pleśni, na które osoby z grupą 0 są wyjątkowo wrażliwe, lepiej z niego zrezygnować. Ze względu na kwasotwórcze działanie warto unikać pomarańczy, mandarynek i truskawek. Z kolei **grejpfrut** i **cytryna**, choć są wyjątkowo kwaśne, już po strawieniu stają się alkaliczne, więc jak najbardziej wskazane.

To dość pobieżny przegląd produktów spożywczych. Mam jednak nadzieję, że rzucający światło na to, w jaki sposób funkcjonuje organizm z grupą krwi 0, a tym samym pokazujący właściwy kierunek działania, prowadzący ku zdrowiu i pożądanej wadze.

Grupa krwi A

Czasami żartuję, że osoby z grupami 0 i A różnią się między sobą tak bardzo, jakby pochodziły z różnych planet albo przynajmniej zupełnie innych obszarów kulturowych. Rzeczywiście, tych różnic jest bardzo dużo. Tu, z racji poruszanej tematyki, zajmiemy się tylko niektórymi. Między innymi przeciwieństwem metabolicznym.

Grupa krwi A powstała, gdy dostępność do mięsa zwierzęcego stawała się coraz bardziej ograniczona. Żeby przetrwać, ludzie musieli nauczyć się uprawy roślin. Zaczęli więc organizować się we wspólnoty, a następnie społeczeństwa.

W miarę zmian w sposobie żywienia ewoluował również organizm. Zdecydowanie mniejsze możliwości pozyskania mięsa spowodowały istotne modyfikacje w układzie pokarmowym. Tą najbardziej znamienną (w odróżnieniu od „zerówki") jest wyraźnie utrudniający trawienie białka zwierzęcego, niższy (w dodatku zmniejszający się z wiekiem) poziom kwasu żołądkowego. Podczas gdy 0, spalając mięso jak paliwo, zamienia je w energię, u A spożywanie go powoduje zatrzymywanie płynów i ociężałość. Źle metabolizowane odkłada się w postaci tkanki tłuszczowej.

Kolejną istotną różnicą jest niedobór fosfatazy jelitowej skutkujący trudnościami z rozkładaniem tłuszczów. Jeśli weźmiemy pod uwagę tylko te dwie cechy, nie do przyjęcia są wszelkie wędliny i inne przetwory mięsne. Jeśli masz grupę krwi A, Twój system trawienny nie jest w stanie sobie z nimi poradzić. Nie tylko ma problem ze strawieniem tego, co mięsne, i tego, co mięso udaje, ale i ze zneutralizowaniem wszystkiego, co w tych wyrobach stanowi swego rodzaju ciało obce. Ze względu na tendencję do zapadania na raka żołądka i wiele chorób metabolicznych warto zrezygnować z tego typu produktów na rzecz chociażby ryb. Te z grupy wskazanych to: **dorsz, karp, łosoś, makrela** (nie wędzona), **szczupak, pstrąg morski, pstrąg tęczowy, sardynka, okoń srebrny** i **żółty**. Natomiast unikać należy morszczuka, halibuta, flądry, kawioru, homarów, małży, ostryg, soli, suma, śledzia w każdej postaci czy węgorza.

Jeśli chodzi o proteiny, dobrym ich źródłem są wysokiej jakości **produkty sojowe** i **niektóre zboża** (proso, owies, amarant, gryka, orkisz, jęczmień, mąka kukurydziana, ryżowa). Pszenica nie szkodzi tak bardzo jak „zerówce", ale z racji tego, że może spowalniać metabolizm, jeśli chcesz schudnąć, lepiej z niej zrezygnować.

Źródłem białek roślinnych są również warzywa. Jarzyny, zwłaszcza surowe i gotowane na parze, to bardzo ważne dla grupy A źródło minerałów, enzymów i antyutleniaczy. Dlatego powinny być podstawą diety. Dobrym wyborem są **proteiny roślinne** znajdujące się w marchwi, kapuście bezgłowej, dyni, szpinaku czy brokułach (zawierających istotne dla systemu odpornościowego przeciwutleniacze, zapobiegające ewentualnej „komórkowej rebelii" charakterystycznej dla procesów nowotworzenia), czosnku, fasolce adzuki czy wodorostach. Warto wiedzieć, że za sprawą warzyw bogatych w witaminę A (marchew, cukinia, szpinak, brokuły) możesz podnieść produkcję rozkładającej tłuszcz fosfatazy jelitowej. Dobrze nie zapominać również o tych z kategorii: obojętne. Należą do niej cebula, cykoria, chrzan, dynia, karczoch amerykański, kalarepa, kiełki lucerny, pietruszka, pasternak, rzepa, por, sałata rzymska, szpinak.

Wśród warzyw są również i takie, które koniecznie trzeba wykluczyć. Dotyczy to nie tylko niebezpiecznej dla żołądka papryki, ale i pomidorów, oliwek greckich, hiszpańskich i czarnych, ziemniaków, białej i czerwonej kapusty, bakłażana oraz pieczarek.

Dobrą alternatywą dla białka zwierzęcego są również proteiny pozyskiwane z orzechów (w szczególności orzeszków ziemnych jedzonych ze skórką, w razie problemów z woreczkiem żółciowym lepiej zastąpić je masłem orzechowym) i pestek (np. dyni, słonecznika). Korzystne działanie w grupie A wykazują również migdały.

Jednym z nielicznych podobieństw do „zerówki" jest niezdolność do trawienia nabiału. Problematyczny jest nie tylko śluz stanowiący swego rodzaju raj dla bakterii chorobotwórczych, torujący drogę do alergii, infekcji i problemów z oddychaniem. Również tłuszcze nasycone obecne w produktach mlecznych dla organizmu z grupą A (ze względu na skłonności do chorób serca, cukrzycy i otyłości) nie są obojętne.

Powodów, dla których warto z nich zrezygnować, jest więcej. Doktor Peter D'Adamo w jednej ze swoich książek pisze: „Większość produktów mlecznych jest niestrawna dla osób z grupą krwi A z prostej przyczyny, że wytwarzają one przeciwciała dla cukrów prostych znajdujących się w mleku, czyli D-galaktozaminy. D-galaktozamina jest istotnym cukrem, który wraz z fukozą tworzy antygen typu B. Ponieważ system odpornościowy został stworzony po to, aby odrzucać wszystko, co jest podobne do genu B, przeciwciała, które on wytwarza do ochrony przed antygenami typu B, odrzucą również produkty pełnomleczne". Do przyjęcia jest jedynie niewielka ilość tych sfermentowanych (kefir).

A co z owocami? Zdecydowanie korzystne są **jagody**, **śliwki**, **ananas** (zawarta w nim bromelaina pomaga w przyswajaniu białek). Doskonała na początek każdego dnia będzie **woda z cytryną** rozpuszczającą śluz zalegający po nocy w przewodzie pokarmowym. Warte uwagi są również **grejpfruty**, **morele**, **figi**, a także **borówka amerykańska**, **wiśnie**, **jeżyny** i **rodzynki**. Z kolei niekorzystne są drażniące delikatną wyściółkę żołądka i przeszkadzające w absorpcji minerałów pomarańcze. Zdrowia nie przysporzą Ci również banany i rabarbar.

To, co sprzyja utracie wagi, to zapobiegające zatrzymywaniu płynów, poprawiające trawienie i wydalanie oleje roślinne. Najbardziej wskazane to **oliwa z oliwek** i **olej z siemienia lnianego**.

Jeśli masz grupę krwi A, codziennie bez wyrzutów sumienia możesz pozwolić sobie na filiżankę (zwiększającej poziom kwasu żołądkowego, zawierającej te same enzymy co soja) kawy. Pamiętaj jednak, że mimo jej niewątpliwych dla Ciebie zalet, nie wolno z nią przesadzać. Za to bogatą w przeciwutleniacze zieloną herbatę (zwłaszcza latem) możesz pić bez ograniczeń. Ze względu na skłonność do chorób serca przestępstwem nie będzie **lampka** (bogatego w resweratrol) **wysokiej jakości czerwonego wina**.

Wiadomo, że nikomu nie służy żywność oczyszczona i wysoko przetworzona. Ale jeśli jesteś A, unikanie jej jest dla Ciebie szczególnie istotne. Ideałem byłoby spożywanie tylko produktów świeżych i w naturalnej postaci.

Przechodzenie z diety z dużym udziałem białka zwierzęcego na żywienie z przewagą roślin w początkowej fazie może skutkować sensacjami ze strony układu pokarmowego. Wtedy warto sięgnąć po enzymy trawienne i florę bakteryjną (więcej na ich temat w podrozdziale „Pigułkami w kilogramy — tak czy nie?”).

Predyspozycje do określonych problemów czy niedomagań zdrowotnych to na szczęście jeszcze nie przeznaczenie. Znając zarówno mocne, jak i słabe strony swojego organizmu, świadomie i umiejętnie możesz wspierać jego funkcjonowanie. A dzięki temu utrzymywać go w zdrowiu i doskonałej sprawności.

Grupa krwi B

Grupa krwi B, choć pod wieloma względami przypomina „zerówkę”, jeśli chce schudnąć, jest w dużo lepszym położeniu. W jej organizmie rzadziej występują mechanizmy utrudniające pozbywanie się wagi (tak jak np. w grupie 0 kłopoty z tarczycą). Nie ma również predyspozycji do zaburzeń trawiennych. Dlatego najbardziej istotne w osiąganiu szczupłej sylwetki jest przestrzeganie, dość zresztą urozmaiconej, diety.

Grupa B potrafi trawić i mięso, i węglowodany. Nie ma problemu ze zbyt wysokim bądź zanadto niskim poziomem kwasu żołądkowego. Ilość fosfatazy jelitowej jest wystarczająca, by poradzić sobie z tłuszczem (to jeden z powodów, dla których dość dobrze, bez poważnych skutków ubocznych B znosi diety wysokobiałkowe i wysokotłuszczowe).

Z mięs szczególnie korzystne są **jagnięcina** i **baranina**. Pomagają one w budowaniu mięśni i tkanek aktywnych, przyspieszając tym samym przemianę materii. Możesz jeść również dziczyznę i królika. Jeśli zależy Ci na zachowaniu bądź odzyskaniu zdrowia, wyjątkowo toksycznego dla Ciebie kurczaka (jeśli dotąd był obecny w Twojej diecie) zastąp indykiem. Programy dietetyczne dla poszczególnych grup krwi nikomu nie zalecają wieprzowiny, więc dla Ciebie również jest bardzo niekorzystna.

Osoby z grupą B (jeśli na skutek stresu w organizmie dochodzi do zachwiania równowagi) wykazują podatność na wolno rozwijające się egzotyczne wirusy i rzadkie przypadłości neurologiczne. Jeśli chcesz się tego ustrzec, choć może wydawać Ci się, że te informacje kompletnie nie mają związku z tego rodzaju zagrożeniami, jak ognia unikaj wspomnianego kurczaka, pomidorów i kukurydzy. Chyba jednym z najbardziej spektakularnych przykładów szkodliwości produktów spożywczych będących „na minusie" w połączeniu z podatnością na określone choroby jest ten dotyczący mojej znajomej z grupą B, zamieszczony w przywoływanej już tu wielokrotnie książce *Zdrowie masz we krwi*. Znajdziesz go w rozdziale „O tym, jak lektura jednej książki uratowała zdrowie, a kto wie — może i życie".

B to jedyna grupa krwi, która bez zgubnych konsekwencji może spożywać nabiał. W tym przypadku jest on do przyjęcia, ponieważ w odróżnieniu od omawianych wcześniej grup 0 i A, podstawowym cukrem w antygenie grupy B jest występująca również w mleku D-galaktozamina. Jeśli jednak masz kłopot z trawieniem laktozy(to niestety częsta przypadłość także w grupie B), nie zmuszaj się do spożywania produktów na bazie mleka. Jeżeli jednak wolisz tę grupę pokarmów pozostawić w swojej diecie, możesz ratować się laktazą, czyli enzymem rozkładającym ten kłopotliwy dla wielu osób cukier mleczny. Zdecydowanie najlepiej powinny być tolerowane jogurty naturalne i kefir. W swoich posiłkach możesz uwzględnić również sery: mozzarellę, ricottę, fetę, owczy i serek wiejski. Wiele gatunków serów jest obojętnych.

Bardzo spodobała mi się przed laty wypowiedź lekarki prowadzącej wykład o zależnościach między żywieniem a grupami krwi. Dotyczyła bezwzględnego wykluczenia kurczaków z diety osób z grupą B i możliwości wprowadzenia produktów na bazie mleka. Teraz już nie potrafię dokładnie przytoczyć tego dość zabawnego wyjaśnienia. W każdym razie chodziło o to, że koczownicze ludy Azji (stąd wzięła początek grupa B) dla swoich potrzeb udomowiły zwierzęta. Przemieszczając się z miejsca na miejsce, były w stanie pędzić stada bydła. Zatrzymując się po drodze, nie tylko żywiły się pozyskanym od nich mlekiem, ale i wyrabiały sery. Stąd nabiał, którego było w ich diecie dużo, tym z krwią B nadal służy. Zdecydowanie trudniej, przemierzając bezkresne stepy, byłoby zapanować nad stadami kurczaków. Więc z racji, że te nie towarzyszyły osobom z grupą B, i teraz trzeba je ze swojego pożywienia wyeliminować.

Jeżeli jednak na skutek nieprawidłowej diety cierpisz z powodu problemów z oddychaniem, zatokami, astmą czy alergią pokarmową, to lepiej będzie zaniechać spożywania produktów nabiałowych. Jeśli Twoje żywienie w dzieciństwie bazowało na mleku i jego przetworach, teraz również należałoby podchodzić do tej grupy pokarmów ostrożnie. Nabiał to także nie najlepsze rozwiązanie dla osób zmagających się z problemami skórnymi (np. egzemą czy łuszczycą). Odstawienie go trzeba by rozważyć również w przypadku, gdy dużo czasu spędzasz w pomieszczeniach klimatyzowanych bądź wyposażonych w centralne ogrzewanie. Oba te systemy, mimo że bardzo pomocne na co dzień, wysuszają, a tym samym podrażniają błony śluzowe górnych dróg oddechowych. To w połączeniu ze spożywanym nabiałem może powodować stany zapalne kanałów nosowych i zatok.

Tycie osób z grupą krwi B powoduje spowalniająca metabolizm kukurydza. Zgubne może okazać się też jedzenie gryki, soczewicy, orzeszków ziemnych i sezamu. Każdy z tych produktów powoduje zmęczenie, zatrzymywanie płynów i niebezpieczny spadek poziomu cukru we krwi po posiłku, czyli hipoglikemię. Orzeszki dodatkowo zakłócają pracę wątroby. Unikaj wszystkiego, co może zawierać nawet niewielkie ich ilości. O tym, że płatki kukurydziane są w Twoim przypadku nie do przyjęcia, nie muszę chyba przypominać.

Tempo przemian metabolicznych zwalniają również rośliny strączkowe. Nie aż tak groźny jak w grupie 0, ale jednak problematyczny, może okazać się gluten zawarty w pszenicy. Posiłki zawierające to zboże są źle trawione. Mogą skutkować zmniejszeniem aktywnej tkanki mięśniowej i odkładaniem tłuszczu, a także stanami zapalnymi. Jeśli chcesz schudnąć, rób wszystko, żeby Twoje pożywienie było jej pozbawione. Biorąc pod uwagę fakt, że żyto wpływa bardzo destrukcyjnie na układ krążenia, również warto je wyeliminować. Dobrym wyborem jest natomiast **orkisz**, **owies**, **proso** i coraz łatwiej dostępna u nas **komosa ryżowa** oraz **amarantus**. Jeśli chodzi o **makarony**, najlepsze dla B są **ryżowe**.

Chudnięciu sprzyjają wspomagające metabolizm **zielone warzywa**. Dobrze potraktować je jako szczególnie ważne, nie tylko ze względu na skuteczne odchudzanie, ale również na dość charakterystyczny dla tej grupy krwi niedobór magnezu. Biorąc pod uwagę, że B wykazuje tendencje do zapadalności na infekcje powodowane przez wyjątkowo niebezpieczne wirusy, które po latach uśpienia potrafią zaatakować układ nerwowy, włączenie do diety warzyw bogatych w magnez powinno stać się Twoim priorytetem. Ten bardzo ważny minerał jest również bezwzględnie konieczny dla sprawnego metabolizmu węglowodanów. Jeśli chodzi o jarzyny, możesz jeść także **marchew**, **kalafior**, **paprykę we wszystkich kolorach**, **pietruszkę**, **białą i czerwoną kapustę**, **buraki**, **bakłażana**, **brukselkę**, **brokuły**, **botwinkę**, **gorczycę** i **cebulę**. Nie powinny Ci zaszkodzić niewielkie ilości ziemniaków. Dla jeszcze większej różnorodności warto korzystać z warzyw z grupy produktów obojętnych, czyli chrzanu, kapusty pekińskiej, sałaty rzymskiej, szpinaku, szparagów, kiełków lucerny, wodorostów, imbiru, cykorii, pieczarek, kalarepy, cukinii czy selera. Warty uwagi jest pobudzający układ odpornościowy **pasternak**. Ze względu na to, że w tej grupie krwi bardzo często niedomaga wątroba i woreczek żółciowy, dobrym pomysłem będzie wprowadzenie do swojej kuchni wzmacniającego je **karczocha**. Dla mężczyzn, którzy chcą uniknąć problemów z prostatą, zamiennikiem dla zawierających likopen przetworzonych pomidorów będzie **arbuz** i **czerwony grejpfrut**.

Jeżeli chodzi o owoce, na pewno korzystnym wyborem będzie **ananas** (obecna w nim bromelaina ułatwia trawienie i działa przeciwzapalnie). Ponadto możesz jeść **banany** (ze względu na sposób, w jaki „dojrzewają", najlepiej jeść je przy okazji podróży do krajów, w których rosną) **czarne winogrona**, **jeżyny** i **śliwki**.

Prócz wspomnianych wcześniej, sprzyjających metabolizmowi gatunków mięsa dobrym rozwiązaniem są ryby: **dorsz**, **łosoś** (nie wędzony), **flądra**, **halibut**, **sola**, **jesiotr** (również kawior), **makrela**, **morszczuk**, **sardynka**, **szczupak**, **pstrąg morski**. Wśród obojętnych jest biały, żółty i srebrny okoń, karp, pstrąg tęczowy, sieja, śledź, sum i tuńczyk (niestety powszechnie uchodzi za gatunek najbardziej nasycony toksyczną rtęcią). Daruj sobie natomiast wszelkie skorupiaki i unikaj węgorza. Ryby, podobnie jak mięso, pomagają w budowie tkanek aktywnych, a zawarte w nich Nienasycone Kwasy Tłuszczowe omega-3 wzmacniają układ odpornościowy i chronią przed niekontrolowanym rozrostem komórkowym. Dla dobrego trawienia i wydalania każdego dnia pamiętaj o przynajmniej łyżce **oliwy z oliwek** czy **oleju lnianego**. W razie zmęczenia sięgaj po produkty białkowe zamiast węglowodanów. Bardzo ważne jest nieopuszczanie posiłków. Głód to potężne źródło stresu. I tak jest go dookoła zbyt dużo, więc dokładaj wszelkich starań, by tam gdzie to możliwe, nie dopuszczać go do głosu.

PS

Wiele źródeł jako doskonały stymulator systemu odpornościowego w grupie B sugeruje lecytynę. Ponieważ najczęściej jest ona produkowana z przeciwwskazanej dla B soi, napotykając tę informację, możesz odczuwać pewien dysonans. Dlatego uprzedzając Twój niepokój i ewentualne pytania, spieszę z wyjaśnieniem. Dla Ciebie w soi niekorzystne jest tylko białko. To jedna z „cegiełek", z których jest ona zbudowana. Jeśli chodzi o lecytynę, to fosfolipid złożony z choliny i z inozytolu (migrującego do mózgu po to, by usprawnić jego działanie). Tak więc jest to ta druga „cegiełka" budująca soję. Dlatego w tym przypadku problem niekorzystnego dla Ciebie białka nie powinien istnieć.

Grupa krwi AB

Profil grupy AB jest najbardziej złożony. Pojawiła się najpóźniej, a osób, w których naczyniach płynie, jest zdecydowanie najmniej. Szacuje się, że to zaledwie 2 do 5% całej populacji. Powstała z przemieszania się grup A i B. Nic więc dziwnego, że od obu przejęła wiele problemów zdrowotnych. Na szczęście to nie jedyne dziedzictwo.

Dla lepszego zrozumienia wymagań i oczekiwań swojej grupy AB warto prześledzić informacje na temat dwóch omówionych wcześniej. Czasami wykazuje podobieństwo do A. Natomiast w niektórych kwestiach jest zbliżona bardziej do B. Innym razem łączy cechy jednej i drugiej. Większość żywności niekorzystnej dla A i B również jej nie służy. Są jednak od tego wyjątki. Do takowych należą pomidory, które w przeciwieństwie do A i B, grupie AB nie szkodzą.

Twoja waga będzie rosnąć, jeśli jadasz słabo trawione, odkładające się w postaci tłuszczu czerwone mięso. Ponieważ podobnie jak A, masz niedobór kwasu żołądkowego i bardzo niski poziom trawiącej tłuszcze fosfatazy jelitowej, absolutnie przeciwwskazane są wszelkie mięsa wędzone, konserwowane i oczywiście wędliny. Alternatywą mogą być niewielkie ilości dobrej dla grupy B świeżej **jagnięci-**

ny, **indyka**, ewentualnie **królika**. Podobnie jak dla B, absolutnie nie do przyjęcia są dla Ciebie kurczaki.

Ślad w postaci nadmiernych kilogramów pozostawi po sobie pszenica. Choć nie jest szczególnie niebezpieczna, jeśli masz kłopoty z drogami oddechowymi lub zależy Ci na schudnięciu, zastąp ją **orkiszem**. Korzystne będzie również **proso** i **owies**. Dla zrzucenia kilogramów unikaj gryki i wszystkiego, co zawiera kukurydzę. Jeśli chodzi o pieczywo, możesz jeść stuprocentowy chleb żytni i sojowy.

Nie służą Ci nasiona i pestki. Z tej grupy produktów na zdecydowanym „plusie" są jedynie **orzeszki ziemne** i **orzechy włoskie**. Zrezygnuj z orzechów laskowych, siemienia lnianego, pestek dyni, słonecznika i maku. Jeśli chodzi o fasole, tych sprzyjających jest niewiele: **fasolka czerwona** i **zielona soczewica**. Wśród obojętnych znajdziesz bób, fasolkę szparagową, czerwoną soczewicę i zielony groszek.

Utracie kilogramów będzie sprzyjało włączenie do diety pomagającego w efektywnym metabolizmie **tofu**. Doskonałym źródłem protein są ryby (**dorsz**, **jesiotr**, **łosoś** — nie wędzony, **makrela**, **szczupak**, **morszczuk**, **pstrąg tęczowy** i **morski**, **sardynka**). Nie dla Ciebie jest węgorz i halibut, a także homary, kraby, krewetki, małże i ostrygi. Odchudzanie wesprą **zielone warzywa**, **wodorosty** i ułatwiający trawienie **ananas**. Jeśli Twój organizm nie jest nadmiernie obciążony śluzem, nie masz problemów astmatycznych, z zatokami, nietolerancji laktozy ani nie cierpisz z powodu częstych infekcji, możesz włączyć do diety **jogurt naturalny**, **kefir**, **ser feta**, **mozzarella**, **ricotta** czy **serek wiejski**. Pamiętaj jednak, że w wykazie produktów korzystnych ani nawet obojętnych nie ma brie, sera camembert, parmezanu, masła i pełnego mleka.

Ze względu na niezbyt silny układ odpornościowy bardzo ważne są dla Ciebie świeże warzywa. W grupie wysoce wskazanych znajdziesz **botwinkę**, **brokuły**, **buraki**, **jarmuż**, **kalafior**, **ogórki**, **pasternak**, **pietruszkę**, **seler** i **czosnek**. Możesz również jeść brukselkę, cebulę, chrzan, cukinię, cykorię, dynię, groszek, marchew, oliwki (prócz czarnych), pieczarki, pora, rzepę, imbir, kalarepę, kapustę białą, czerwoną i pekińską, koper, szalotkę, szparagi, sałatę rzymską, szpinak, wodorosty, dynię, a także białe i czerwone ziemniaki. Zdecydowanie dobrym wyborem nie jest awokado, karczoch, papryka, rzodkiewka i wspomniana wcześniej, powodująca przybieranie na wadze, kukurydza. Produktem bardzo korzystnym, podobnie jak dla A, jest **tofu**.

Jeśli chodzi o owoce, potrzebujesz tych bardziej alkalicznych (**winogrona**, **śliwki** czy **wiśnie**). Unikaj podrażniających błonę wyścielającą żołądek i absorbujących ważne minerały pomarańczy. Tego typu problemów nie stwarza, zasadowy po strawieniu, **grejpfrut**. Korzystnie działa również **cytryna**, która nie tylko usuwa zalegający w układzie pokarmowym problematyczny śluz, ale i pomaga w trawieniu. Niebagatelna jest też jej rola, jeśli chodzi o witaminę C. Organizm z grupą AB, ze względu na podatność w kierunku nowotworzenia, dla prawidłowego funkcjonowania potrzebuje sporych jej ilości. Dobrym wyborem będą również **figi** i **żurawina**. Prócz pomarańczy unikaj również bananów, rabarbaru i mango.

Na stałe włącz do swoich posiłków oliwę z oliwek.

Lampka (nie lampki!) doskonałej jakości (bogatego w resveratrol) **czerwonego wina**, podobnie jak w grupie A, nie tylko Ci nie zaszkodzi, ale raczej pomoże w zminimalizowaniu ryzyka chorób serca. Pamiętaj też o dobroczynnym, antyoksydacyjnym działaniu **zielonej herbaty**. Codzienna **filiżanka** (jedna!) **małej czarnej**, podnosząca zbyt niski poziom kwasu żołądkowego, również dobrze Ci zrobi.

6

Twoja grupa krwi za tym tęskni

Jeśli chcesz zachować bądź odzyskać zdrowie i szczupłą sylwetkę, absolutnie koniecznym uzupełnieniem właściwej diety jest aktywność fizyczna. I podobnie jak w przypadku żywienia, nie pierwsza z brzegu (bo właśnie uprawia ją znajomy, przyjaciółka czy akurat jest w modzie), ale taka, która najbardziej odpowiada Twojej genetycznie uwarunkowanej naturze.

Grupa krwi 0

Dla „zerówki" dobrym sposobem na wyładowanie emocji mogą być gry zespołowe, w których nieodłącznym elementem jest bieganie. Jeśli wiesz, że czeka Cię trudny dzień, znajdź czas na to, żeby z samego rana przebiec chociaż kilometr. Po takiej porcji wysiłku znacznie łatwiej będzie Ci poradzić sobie z tym, co przyniosą godziny spędzone w pracy, czy niełatwą sytuacją, którą musisz przetrwać.

W odróżnieniu od naszych przodków, których udziałem był raczej stres krótkotrwały, wielu z nas jest narażonych na stres chroniczny, ciągły i permanentny. To z pewnością nie przysparza zdrowia. Nie służy również zachowaniu ładnej sylwetki. W dodatku rzadko można pozwolić sobie na wyładowanie tego napięcia w sposób, który byłby najbardziej skuteczny. Stres tłumiony może powodować w organizmie wiele problemów. Swego rodzaju (nie jedyną zresztą) piętą

Achillesową „zerówki" jest niski poziom oksydazy monoaminowej, czyli enzymu rozkładającego adrenalinę i noradrenalinę. Z racji jego niedoboru osoba, która z różnych względów nie ma możliwości na bieżąco rozładowywać swojego zdenerwowania, jest na najprostszej drodze do wielu kłopotów zdrowotnych. To kolejny powód (poza dużym udziałem w diecie białka zwierzęcego) do podjęcia intensywnej aktywności fizycznej.

Przodkowie, którzy polowali na dzikie zwierzęta, w zetknięciu z nimi z pewnością niejednokrotnie przeżywali ogromny stres. Ale też natychmiast dawali mu upust, chociażby ratując się ucieczką. Adrenalina pompowana do mięśni skutecznie im to umożliwiała. W tzw. cywilizowanych społeczeństwach trudno w zetknięciu np. z szefem (absolutnie nie sugeruję, że każdy jest zły), na którego widok poziom katecholamin wyraźnie się podnosi, wykrzyczeć swoje oburzenie czy przynajmniej zamanifestować je porządnym trzaśnięciem drzwiami. Może to skutkować wiadomymi konsekwencjami, na które wiele osób w danym momencie raczej nie jest w stanie sobie pozwolić.

Z tego też powodu (ta informacja znalazła się już w książce *Zdrowie masz we krwi*, ale uważam, że warto ją powtórzyć) nie dla „zerówek" jest roślina powszechnie uznawana za redukującą skutki stresu, czyli dziurawiec zwyczajny. Choć z pewnością nie wszystko jeszcze zostało na ten temat powiedziane, wiele osób z grupą krwi 0 po kilkudniowym piciu naparu z tego zioła rejestruje dziwne samopoczucie, niepokojące sny i stany podobne do letargu bądź nienaturalną porywczość czy impulsywność. Najprawdopodobniej ma to związek z tym, że niektóre związki czynne (akurat nie te mające działać antydepresyjnie) znajdujące się w tej stosowanej w ziołolecznictwie roślinie mogą hamować działanie enzymu MAO, który i tak w organizmie z grupą krwi 0 występuje w ilości niewystarczającej. To kolejny przykład na to, że nie każdemu służy to samo.

Znacznie lepszym wyjściem będzie zaprzyjaźnienie się z adaptogenem o nazwie *Rodiola rosea*. Dla „zerówek" to doskonała alternatywa dla chemicznych środków mających działać antystresowo. A co najważniejsze, dająca nie tylko możliwość panowania nad sytuacją czy pozwalająca szybko wrócić do stanu sprzed momentu zadziałania stresora. Jest bardzo korzystna dla osób lubiących wspinać się na duże wysokości i wszystkich tych, które od czasu do czasu wyprawiają się tam, gdzie panują warunki ekstremalne (np. jest dużo zimniej niż normalnie). Zresztą stres, mimo że zdarza się często, a w przypadku wielu ludzi stał się nieodłącznym elementem codzienności, dla organizmu jest również swego rodzaju ekstremum.

To, w jaki sposób radzisz sobie z towarzyszącym Ci napięciem, jak je odreagowujesz, choć może nie widzisz związku, ma wpływ nie tylko na to, jak poradzisz sobie z nadwagą, ale i z predyspozycjami osób z grupą krwi 0 do artretyzmu, alergii czy stanów zapalnych. Dlatego pamiętaj o konieczności ruchu i w ogóle intensywnej aktywności fizycznej. Jeśli w Twoich naczyniach płynie taka krew, a do tej pory nie wydawało Ci się to konieczne, przynajmniej przez kilka dni spróbuj joggingu czy jazdy na rowerze. Zapewniam Cię, że w chwili, gdy odstąpisz od nowej formy wysiłku, Twoje ciało za nim zatęskni. Wiem, bo to również moje osobiste doświadczenie. Niestety moim udziałem była również charakterystyczna dla „zerówki" unikającej ruchu (koniecznego dla właściwego krążenia) utrudniająca codzienne funkcjonowanie ospałość. Kiedyś zaprzyjaźniona lekarka, która nie umiała mi pomóc w problemie ze zdrowiem, odesłała mnie do gabinetu znajomego bioenergoterapeuty. Tam usłyszałam, że z takim krążeniem jak moje ludzie nie żyją. Podobno jestem swego rodzaju wyjątkiem, szczególnym wybrykiem natury. Na temat swojego krążenia jeszcze dwa razy usłyszałam podobną opinię. Na szczęście wiele lat później, mimo iż jestem znacznie starsza, jest już zupełnie inaczej. Dlatego tak bardzo leży mi na sercu propagowanie tej jakże ważnej informacji. Inne formy ruchu (prócz wspomnianego biegania, jazdy na rowerze, gier zespołowych wymagających przemieszczania się) wskazane dla osób z grupą 0 to pływanie, fitness wodny, aerobic, ćwiczenia siłowe, gimnastyka i piesze wycieczki. Jak sugeruje dr James D'Adamo, ćwiczenia wieczorne to dobra inwestycja w zdrowie serca i układu krążenia. Natomiast dla jasnego umysłu i zdrowia emocjonalnego „zerówka" potrzebuje aktywności porannej. Osoby, które z jakichś powodów nie mogą ćwiczyć, powinny uważać, żeby nie przesadzić z ilością białka zwierzęcego.

Grupa krwi A

Zastosowanie diety zgodnej z grupą krwi A z pewnością da fantastyczne efekty. Żeby jednak cieszyć się nimi zawsze, warto dowiedzieć się o swoim organizmie czegoś jeszcze. Jako że sama wiedza nie wystarczy, oparte na niej praktyczne wskazówki należy wprowadzić w życie. Oczywiście nie tylko wprowadzić, ale i bez względu na wszystko, co się zdarzy (a zdarzy się na pewno), konsekwentnie ich przestrzegać.

Co prócz właściwego odżywiania i odpowiedniego rodzaju aktywności fizycznej jest dla Ciebie istotne w procesie zmierzania do ładnej sylwetki? Co jeszcze ma na to ogromny wpływ? Co może zaszkodzić albo pomóc?

Tą obosieczną bronią, którą warto poznać, a dzięki temu zaprzęgnąć do działania na swoją rzecz, a nie przeciwko sobie, jest kortyzol. Co to za jeden? To hormon stresu (wcześniej była już o nim wzmianka), który u osób z grupą A potrafi osiągać znacznie wyższe poziomy niż np. u „zerówek". Żeby pomagał Ci, zamiast szkodzić, warto mieć świadomość, że jego wytwarzanie jest ściśle powiązane z dwudziestoczterogodzinnym rytmem dobowym, a tym samym zależne od niego. Rano (między godziną szóstą a ósmą) powinno go być najwięcej. Ku wieczorowi jego poziom powinien sukcesywnie spadać, by najniższe wartości osiągać w nocy. Wszystko po to, by organizm miał szansę się regenerować. Oczywiście to, że poziom hormonu stresu powinien być najwyższy rano, nie znaczy, że masz ulegać irytacji. Zawiadywanie stresem (rozumianym potocznie) to zaledwie jedna z ról kortyzolu. W organizmie ma tak wiele do zrobienia, że nie może być mowy o jakiejkolwiek przerwie w działaniu.

Cały czas reguluje, naprawia, „ceruje" i robi wszystko, by żyło Ci się możliwie najlepiej.

W tym całym procesie odbudowywania i odnowy jest jednak pewien szkopuł. By Ci sprzyjać, kortyzol potrzebuje Twojej świadomej i odpowiedzialnej współpracy. Jednym z jej elementów jest sen. Choć już pisałam (w podrozdziale „W objęciach Morfeusza") o jego znaczeniu w procesie odchudzania, tu zatrzymam się jeszcze na kilku bardzo istotnych informacjach.

Przerwy w czuwaniu potrzebujemy tak samo (choć w różnych proporcjach) jak powietrza, światła słonecznego, wody i pożywienia. Jednym z warunków zachowania zdrowia bądź powrotu do niego, a także utrzymania ładnego wyglądu jest nie tylko przestrzeganie odpowiedniej ilości snu, ale co zdecydowanie ważniejsze, spanie w odpowiednich godzinach. Nikt nie powinien przeciwstawiać się rytmowi wyznaczonemu przez naturę. Z pewnością najbardziej korzystne dla zdrowia, a tym samym urody, jest wstawanie o wschodzie słońca, a kiedy dzień chyli się ku końcowi, stopniowe wyciszanie się i przygotowywanie do nocnego spoczynku.

Dlaczego ignorowanie tych zasad, szczególnie przez osoby z grupą krwi A, może mieć fatalne efekty? Dlaczego może skutkować nie tylko problemami zdrowotnymi, ale i tyciem?

Jednym z powodów jest to, że właśnie w fazie głębokiego snu mają szansę zaistnieć procesy regeneracyjne. Dlatego że przede wszystkim wtedy, kiedy spokojnie oddajesz się marzeniom sennym, odnawiają się Twoje tkanki. Jeśli mimo iż minęła północ, Ty nie wybierasz się spać, proces odnowy Twoich kości zostaje zakłócony. Podobnie jest ze skórą. Niestety rano nie zauważysz, że Twój „stelaż" nie dostał tego, co mu się po prostu należy. Skóra pod tym względem ma nad nim przewagę, ponieważ brak snu odbija się na jej wyglądzie niemal natychmiast. Wystarczy, że spojrzysz w lustro. Szybko dojdziesz do wniosku, że czas już na lepszy krem, a może i wizytę u kosmetyczki. To też jest ważne. Jestem kobietą, więc powiem nawet, że bez tego ani rusz. Ale też wiem, że absolutnie najdoskonalszym kosmetykiem i zabiegiem upiększającym, którego nie jest w stanie przebić żaden inny, jest zdrowy sen przed północą. Proszę, pamiętaj o tym!

Nieprzespana noc to nie tylko krok w kierunku słabszego kośćca, częstszych infekcji, mniejszej odporności na stres i ból czy problemy z masą ciała. Jeśli chodzisz spać zbyt późno, jesteś na najlepszej drodze do przedwczesnego starzenia się. Tego nie można zmienić. Nie oszukasz swojego organizmu zasłanianiem okien po to, by wyspać się w ciągu dnia. Natura wie lepiej od Ciebie. Mimo że na swoje postępowanie znajdziesz niejeden argument brzmiący jak usprawiedliwienie, ona w żaden sposób nie da się przebłagać. Pod tym względem nie zna litości.

Jeśli masz grupę A, poziom stresu (nawet jeśli tego nie czujesz), a tym samym kortyzolu, idzie u Ciebie w górę także wtedy, gdy temperatura otoczenia jest zbyt niska lub zbyt wysoka. W ogóle wszelkie skrajności pogodowe nie są dla Twojego organizmu bez znaczenia. Kortyzol osiąga niebezpieczne poziomy, kiedy masz kontakt z hałasem. Również wówczas, gdy świadomie lub przypadkiem bierzesz udział w wielkim zgromadzeniu. Wtedy, kiedy jesteś świadkiem przemocy (np. w mediach), również słownej. Nie są Ci obojętne nawet silne zapachy. Zaniepokojenie losem innych jest tak wielkie, że staje się wręcz tematem anegdot. Opowiadanych oczywiście przez osoby z grupą krwi inną niż A. Kortyzol szaleje również w sytuacji narażenia na głód (nawet wynikającego jedynie ze zbyt długiej przerwy między posiłkami). Niedojadanie jest szczególnie niebezpieczne, ponieważ podnosi poziom hormonu stresu, a przez to hamuje metabolizm, przyczyniając się do odkładania się tłuszczu i zmniejszania tkanki mięśniowej.

Osoba, w której naczyniach płynie krew oznaczona symbolem A, skłonna do ukrywania niepokojów, martwiąca się zbyt intensywnie o wszystko i wszystkich, rzadko wybuchająca (jeśli już do tego dojdzie, może być wyjątkowo nieprzyjemnie), najlepiej czuje się i rozkwita w środowisku harmonijnym i uporządkowanym. W pozytywnym i wspierającym się otoczeniu. Takie warunki z pewnością są korzystne dla wszystkich. Kto nie chciałby mieć poukładanego otoczenia? Jednak dla osoby z grupą A ma to szczególne znaczenie. Jako że często to uporządkowanie pozostaje raczej w sferze pragnień, ważne jest zarówno przestrzeganie właściwej diety (która zamiast obciążać, będzie organizm wspierać), jak i uprawianie aktywności fizycznej dostosowanej do predyspozycji i możliwości tej grupy krwi.

Niezbyt dobrą opcją są forsowne treningi sportowe. Zdecydowanie korzystniej będą działać ćwiczenia oddechowe, wszelkie techniki relaksacyjne, joga, ćwiczenia rozciągające, wędrówki, pływanie, jazda na rowerze, gra w golfa czy tenis. Zamiast dużego wysiłku fizycznego lepiej wybierać aktywność wymagającą zaangażowania mentalnego.

Może tak się składa, że dla rozładowania stresu chodzisz do siłowni. W dodatku po zakończeniu ćwiczeń czujesz się w miarę dobrze. Nic dziwnego, że w tym momencie zastanawiasz się, jak to możliwe w świetle tego, o czym piszę. I na to jest wyjaśnienie. Dr James D'Adamo tłumaczy to w sposób następujący: „Ludzie z grupą A często czują, że powinni pozbyć się nadmiaru energii poprzez intensywne ćwiczenia. Kiedy je podejmują, natychmiastową reakcją organizmu jest odprężenie, ale wynikające ze zmęczenia, które przytłacza system nerwowy. Nie chodzi jednak o odczuwanie ulgi wskutek wyczerpania".

Utrzymanie hormonów stresu w równowadze dla osoby z grupą krwi A powinno być najbardziej istotnym zadaniem. Stan długotrwałego napięcia jest niebezpieczny nie tylko ze względu na genetyczną skłonność do chorób serca, cukrzycy czy procesów nowotworowych. Brak współdziałania z organizmem może skutkować otłuszczeniem i dystrofią mięśniową. To sprawi, że efekty odchudzania nie będą takie, jakich się spodziewasz.

Dobrą wiadomością jest to, że w przeciwieństwie do „zerówki", w grupie A zioło (wspomniane przy omawianiu grupy 0, czyli dziurawiec zwyczajny), które ma uspokajać, rzeczywiście działa jak należy. Wydzielanie kortyzolu może obniżać także miłorząb japoński. Warto również zaprzyjaźnić się z wysokiej jakości preparatem zawierającym cynk (15 – 25 mg na dobę), który będzie podnosił odporność, a tym samym korzystnie wpływał na cały organizm. Każda choroba to dla niego stres, a ten z kolei będzie podnosił kortyzol. Co on potrafi, już wiesz, więc warto dołożyć wszelkich starań, by było go tyle, ile trzeba, i ani trochę więcej.

Grupa krwi B

Dr Peter D'Adamo tak pisze o grupie B: „Jej reprezentanci instynktownie poszukiwali punktów równowagi pomiędzy dwoma królestwami — zwierzęcym i roślinnym. Jej utrzymanie jest jednocześnie zadaniem niezwykle trudnym, dlatego ludzie mający grupę krwi B są bardzo wrażliwi na utratę stabilności".

Rzeczywiście osoby z grupą B mają szansę na długie życie w dobrym zdrowiu. Jednak tak może zdarzyć się jedynie pod warunkiem, że na ich drodze nie pojawi się permanentny stres. Mimo że to jednostki stosunkowo silne, jeśli będzie im towarzyszył stale, jest w stanie zrujnować ich zdrowie i życie. Prócz dolegliwości, które potrafią utrudnić codzienność (powtarzające się infekcje układu moczowego, grypa, problemy z zatokami, przy znacznym osłabieniu odporności ostre ekscesy wywołane przez bakterię Escherichia coli czy paciorkowce), znacznie bardziej niebezpieczne zagrożenia to: stwardnienie rozsiane, toczeń czy choroba Lou Gehriga. Depresja, którą bywają nękane, również do lekkich przypadłości nie należy. Nierzadko występuje też wyjątkowo uciążliwa fibromialgia. Bardzo prawdopodobne, że ma ona związek z dużym udziałem pszenicy w diecie. Dość dramatyczny przebieg w tej grupie krwi może mieć CFS, czyli syndrom chronicznego zmęczenia (dla osób cierpiących z powodu nieustannego wyczerpania, nawet mimo dwunastogodzinnego snu, dieta zgodna z grupą krwi w połączeniu z ćwiczeniami jest chyba jedyną szansą na powrót do normalnego życia).

Może myślisz, że miało być przecież o odchudzaniu, a zamiast tego pojawia się długa lista chorób. W dodatku naprawdę poważnych. To jednak nie pomyłka ani przypadek. Grupa krwi B, jeśli chodzi o stres, który jest podstawowym czynnikiem inicjującym problemy zdrowotne, wykazuje podobieństwo do A. Chodzi o ten, w pewnym sensie nieszczęsny, kortyzol. Nieszczęsny wtedy, gdy jest go za dużo. Niebezpieczne poziomy, jak nietrudno się domyślić, osiąga w stresie. Stresogennie działają tu czynniki podobne jak w grupie A. Kortyzol trwale podwyższony może prowadzić nie tylko do podatności na niebezpieczne infekcje wirusowe i uczucie wyczerpania, ale nawet do zamglenia świadomości, utraty motywacji do życia i zapadnięcia w stan przypominający letarg. Czasami zdarzają się sytuacje, na które w ogóle nie masz wpływu. Mimo to ich skutki bardzo Cię dotykają. To z pewnością nadwyręża układ nerwowy i skutkuje wieloma anomaliami. Tym bardziej warto wziąć pod uwagę to, o czym możesz decydować i nad czym jesteś w stanie sprawować kontrolę. I tak np. to od Ciebie zależy, czy za istotny dla swojego zdrowia uznasz rytm dobowy. To Ty zdecydujesz, czy położysz się spać przed 23, a wstaniesz o wschodzie słońca. To Ty wybierzesz rodzaj i czas swojego posiłku. To Ty zrezygnujesz, bądź nie, z tego, co Ci szkodzi. To Ty włączysz, bądź nie, stosowne uzupełnienia do diety. To Ty zadbasz, bądź nie, o to, by Twoje otoczenie było takie, jakiego potrzebujesz, czyli uporządkowane.

Jeśli będziesz unikać czynników stresogennych, respektować omówione w poprzednim rozdziale zalecenia dietetyczne i włączysz do rozkładu dnia odpowiednią dla swojej grupy krwi aktywność fizyczną (sztuki walki, np. taekwondo lub tai chi, golfa, jogę, techniki relaksacyjne i wizualizacyjne połączone z muzyką, tenis, ewentualnie jazdę na rowerze, turystykę pieszą, energiczne spacery, fitness wodny, aerobic, pływanie, lekki jogging, a może gimnastykę czy koszykówkę), masz szansę nie tylko zachować zdrowie, ale i doskonale funkcjonować w swoim szczupłym ciele. Z pewnością poczujesz się jak ryba w wodzie (a to wpłynie na właściwy poziom hormonów stresu ułatwiający chudnięcie i utrzymywanie wagi), kiedy wykorzystasz swoje talenty organizatorskie. Możesz zrobić to, angażując się chociażby w działania na rzecz lokalnej społeczności czy każdej innej grupy.

Grupa krwi AB

Grupa AB jest tak specyficzną, a przez to interesującą grupą, że bardzo trudno scharakteryzować ją w kilku zdaniach. Ciekawie pisze o niej dr Peter D'Adamo: „Jest połączeniem skrajnej, wrażliwej grupy A z bardziej zrównoważoną i skoncentrowaną grupą B. Wynikiem jest duchowa, cokolwiek powierzchowna natura, która obejmuje wszystkie aspekty życia bez szczególnego przykładania wagi do konsekwencji. (...) System immunologiczny grupy AB jest najlepszym przyjacielem dla prawie każdego wirusa i choroby na ziemi. Jeśli grupa 0 posiada wrota bezpieczeństwa o wyrafinowanej technice do swojego sytemu odpornościowego, grupa AB nie ma nawet zamka do tych drzwi. Naturalnie te cechy czynią ludzi z grupą AB bardzo atrakcyjnymi i popularnymi. Łatwo polubić ludzi, którzy witają Cię z otwartymi ramionami, nie czyniących zarzutów, kiedy ich zawiedziesz, i w każdej sytuacji zachowujących się z wrodzoną dyplomacją. Nic dziwnego, że wielu uzdrawiaczy i duchowych nauczycieli ma taką grupę krwi".

Być może wyjątkowość AB ma związek z faktem, że nie powstała jako efekt zmian środowiskowych, ale wskutek krzyżowania się grup już istniejących. I choć o grupie B mawia się, że potrafi zachowywać się jak kameleon, określenie to również mocno przystaje do AB.

Nie tylko łączy w sobie cechy A i B. W przynajmniej kilku obszarach wykazuje również podobieństwo do klasycznej „zerówki".

Na alkohol i kofeinę, spożyte w sytuacjach stresowych, zareaguje (jak 0) podniesieniem i tak dość wysokiego poziomu katecholamin (adrenaliny i noradrenaliny). Z kolei uczucie głodu uruchomi (jak u A) spowalniający metabolizm kortyzol. Z poprzednich rozdziałów już wiesz, że to za jego sprawą organizm odkłada tłuszcz i zmniejsza aktywną masę mięśniową.

Jeśli chodzi o aktywność fizyczną, osoby, w których naczyniach płynie krew grupy AB, potrzebują zarówno intensywnego wysiłku, jak i ćwiczeń z kategorii uspokajających, relaksujących i angażujących energię umysłu. Dlatego najprawdopodobniej korzystnie zadziała na nie joga, wymagające opanowania, cierpliwości i koncentracji tai chi, ćwiczenia rozciągające, a także spacery, fitness wodny, a z drugiej strony ćwiczenia siłowe.

Do idealnego funkcjonowania osoby z grupą AB potrzebują niezależności i przyjaznego środowiska. Znacznie lepiej niż konkurowanie może sprawdzić się w ich przypadku filantropia. Osoby z tą grupą krwi są emocjonalnie skomplikowane. Towarzyskie, z przyjaznym i ufnym nastawieniem, a jednocześnie wyobcowane. Mimo że ważna jest dla nich sympatia otoczenia, potrafią zawzięcie bronić swoich poglądów.

7

Dziesięć rad wartych uwagi

Niemal każda kwestia poruszona w tym rozdziale pojawiła się już we wcześniejszych. Tu wspomnę o nich raz jeszcze, w ramach przypomnienia.

Rada pierwsza

Jeśli rzeczywiście chcesz schudnąć, jedną z najbardziej podstawowych spraw powinno być zastanowienie się, co zmieni realizacja postawionego przez Ciebie celu. Zakładam, że taki masz, że już wiesz, dlaczego i po co warto to zrobić? Jeżeli jednak do tej pory umknęło to Twojej uwagi, koniecznie należy się nad tym zastanowić. Może nie odpowiesz na to pytanie od razu? Może zajmie Ci to chwilę? Nie szkodzi. Znajdź wystarczająco dużo czasu na pobycie ze sobą i zastanowienie się, czy (a jeśli tak, to dlaczego właśnie teraz) jest to najlepszy moment na podjęcie takiej decyzji. Z jakiego powodu wytrwasz w swoich postanowieniach? Jak bardzo zmieni się Twoje życie, jeśli wreszcie uzyskasz sylwetkę, o jakiej marzysz? Warto to zapisać, nawet gdy wydaje Ci się, że nie ma takiej potrzeby. W ferworze codziennych zwykłych spraw powody, dla których decydujesz się na zmianę, po kilku tygodniach mogą stać się mniej oczywiste, a za jakiś czas w ogóle odejść w niepamięć.

Rada druga

Bardzo ważne jest to, by do zmiany podejść... z głową. To z pewnością ułatwi potraktowanie odchudzania jako swego rodzaju szczególnej przygody. Przygody prowadzącej do lepszej jakości życia. Często kobiety myślące o schudnięciu, przemierzając kolejne, kuszące swoją ofertą pasaże handlowe, tęsknym okiem spoglądają na kreacje, które założą... kiedyś. Kiedyś, czyli wówczas, gdy osiągną zamierzoną wagę. Według mnie nie jest to podejście najlepsze z możliwych. Skoro dzięki temu, na co się decyduję, czeka mnie coś lepszego, warto przygotować się do tego jak do święta. I właśnie moment decyzji o zmianie jest najwłaściwszy na to, by sprawić sobie jakąś wyjątkową przyjemność. Elegancka rzecz w ulubionym kolorze, którą przecież później można zmniejszyć, sprawi, że początek odchudzania stanie się naprawdę miły. Może przyda się radykalna zmiana fryzury? Dobrym wyjściem będzie inna niż do tej pory szminka (to oczywiście propozycja dla pań). Może ciekawa biżuteria? Coś, co nie tylko doda uroku, a dzięki temu poprawi samopoczucie, ale i będzie przypominało o podjętym postanowieniu.

Rada trzecia

Zmiany wprowadzaj stopniowo. Zacznij od tych, które chcesz i możesz wdrożyć na stałe.

Rada czwarta

Decydując się na modyfikację żywienia według zaleceń zamieszczonych w tej książce, zapoznaj się dokładnie z listą produktów, w które należy się zaopatrzyć. Po niektóre może trzeba będzie wyprawić się do sklepu ze zdrową żywnością, a mało kto z nas ma taki w sąsiedztwie. Dlatego warto sobie to dobrze zaplanować. Żeby Ci to ułatwić, zdecydowałyśmy się na zamieszczenie listy zakupów. Korzystaj z niej możliwie często.

Rada piąta

Sprawiaj sobie nagrody. Jednak nie za wytrwanie w postanowieniach, ale za konsekwentne dążenie do zmiany stylu życia. Oczywiście niech nie będą to słodycze. Jeśli ekstrapremią miałoby być już coś do jedzenia, warto sięgnąć po jakiś ekskluzywny produkt o dużej wartości odżywczej, którego nie kupujesz na co dzień. Niech będzie to prawdziwy dowód uznania dla siebie.

Rada szósta

Nie opowiadaj. Nie obnoś się z tym, że właśnie jesteś na diecie. Dawno temu byłam w restauracji świadkiem przykrego incydentu wywołanego przez osobę oburzoną, że nie ma dla niej (mimo iż wcześniej nie sygnalizowała takiego zapotrzebowania) posiłku wegetariańskiego. Działo się to w czasie przerwy w szkoleniu. W trakcie zajęć nie miała wiele do powiedzenia, więc chyba przynajmniej w ten sposób chciała zwrócić na siebie uwagę. Zupełnie niepotrzebnie. Było to dość żenujące, zważywszy, że kilka dni później na przyjęciu (znów miałam nieszczęście to widzieć) objadała się mięsem. Zdarzyło mi się też zostać zaatakowaną (na szczęście słownie) przez wegetariankę, która usłyszała, że „zerówka" (a tę grupę krwi właśnie miała) powinna od czasu do czasu zjeść kawałek dobrego mięsa. Gdyby wegetarianizm jej tak służył, nie byłaby tak agresywna. Przecież rozmawiałam z nią zupełnie spokojnie. Takie sytuacje z pewnością nie przysparzają ludzkiej życzliwości. Dla nikogo nie są miłe, więc lepiej ich unikać. Wystarczy, że samemu jest się przekonanym, iż decyzja jest właściwa.

Któż nie miał do czynienia z osobą odchudzającą się, która opowiada o tym na prawo i lewo? O tym, jak długo się odchudza. O tym, że dla osiągnięcia rezultatów musi niemal wszystkiego sobie odmawiać. I o tym, że to już wprawdzie pięć kilogramów mniej, ale do zrzucenia zostało jeszcze dziesięć. W oczekiwaniu uznania i podziwu mówi o wyrzeczeniach dotyczących słodyczy. Kiedy jednak tylko w zasięgu jej wzroku znajdą się jakieś łakocie, twierdzi, że wyjątkowo tym razem nagrodzi się za wytrwałość. Tylko ten kawałek pachnącej szarlotki. Właściwie to niech już będą dwa. Troszkę sernika. No i odrobina tak smakowicie wyglądającego tortu. Tym razem jeszcze popełni ten mały grzech, ale od poniedziałku znów odchudzanie. Ponieważ blisko koniec miesiąca, to może jednak od pierwszego? A od Nowego Roku, to dopiero będzie rygor! Wtedy weźmie się za siebie już tak na 100%! Myślę, że dla tych, którzy są zmuszeni słuchać tego rodzaju wynurzeń, może to być naprawdę meczące.

Nie warto, będąc zaproszonym do pięknie zastawionego stołu, dokonywać szybkiego przeglądu „oferty" i obwieszczać, który produkt ma ile kalorii, a która potrawa jest mieszaniną skrobi i białek. No i oczywiście, co nie jest korzystne ze względu na posiadaną grupę krwi. Jeśli wybierasz się z wizytą, szanuj gospodarzy, ale nie dawaj sobie wmówić, że jeśli raz zjesz coś, czego jeść już nie chcesz, nic Ci nie będzie. Z tym problemem borykają się u nas osoby na diecie bezglutenowej. Im akurat zjedzenie produktu, który nie powinien znaleźć się na talerzu, może bardzo poważnie zaszkodzić. Jeśli celiakia bądź nietolerancja glutenu nie jest Twoim problemem, najprawdopodobniej nie odniesiesz szkód z powodu zjedzenia czegoś, co w Twojej diecie wystąpić nie powinno. Na szczęście w naszym kraju podczas większości przyjęć stół bywa solidnie zastawiony, więc zwykle jest w czym wybierać.

Maja Błaszczyszyn w jednej ze swoich książek pisze: „Żyj i daj żyć innym". Ja również podpisuję się pod tym. Nie namawiam Cię do obsesji, ale do otwartości. Bądź swoim najlepszym przyjacielem, nie wrogiem.

Rada siódma

Kiedy już poznasz, co dla Ciebie najlepsze, baw się albo przynajmniej staraj się bawić komponowaniem posiłków. Jeśli przygotowujesz je dla siebie i swoich najbliższych, tym bardziej. Kilka dni temu przeczytałam w artykule autorstwa psychoterapeutki pracującej z kobietami, Agnieszki Kramm, dość ciekawe spostrzeżenie. Pisze ona m.in.: „Może powiem coś kontrowersyjnego, ale jedzenie robione przez kogoś, kto się poświęca i cierpi, to jest po prostu trucizna". Nie wiem, czy taki posiłek jest toksyczny. Myślę jednak, że nie jest to zupełnie bezzasadne, bo przecież przyjemniej zjeść najprostszą potrawę przygotowaną przez kogoś, komu jej przyrządzenie sprawiło radość, niż najbardziej wykwintne rarytasy z ręki i w towarzystwie osoby zgorzkniałej i pełnej pretensji.

Rada ósma

Jeśli zdarzyło Ci się zrobić coś (nie chodzi o jedzenie), co nie jest powodem do dumy, wybacz sobie. Co się stało, to się nie odstanie. Jeśli ciągle będziesz się w tym pławić, bardzo możliwe, że będziesz szukać pocieszenia w jedzeniu. A zajadanie problemów nikomu na dobre jeszcze nie wyszło. Najważniejsze, żeby zdawać sobie sprawę, że to nie fair. Jeśli możliwe jest zadośćuczynienie, trzeba to zrobić, a tego co złe, nigdy więcej nie powtórzyć.

Rada dziewiąta

Wysypiaj się. Osoba zmęczona częściej sięga po coś kalorycznego, bez wartości odżywczej. Najważniejsze jest to, co robisz nie od święta, ale każdego dnia.

Rada dziesiąta

Żeby przeżywanie procesu zmierzającego do osiągnięcia radykalnej zmiany zostało uwieńczone sukcesem, warto pomyśleć o czymś jeszcze. O czymś, co trzeba mieć ze sobą każdego dnia. Kupić tego raczej się… nie da. To oczywiście uśmiech. Koniecznie od ucha do ucha.

Teraz już oddaję Cię w ręce osoby, która podpowie co, kiedy, w jakich ilościach i zestawieniach jeść, żeby Twoim udziałem stała się nie tylko piękna figura, ale i zdrowie. Mnie pozostaje już tylko życzyć Ci powodzenia i trzymać kciuki za osiągnięcie wymarzonego celu ☺

Dorota Augustyniak-Madejska

8

Jak żywią się Polacy i Europejczycy?

Moja praca umożliwia mi to, co bardzo lubię, czyli poznawanie nowych ludzi, ich zwyczajów i tradycji. Zawieranie znajomości z nimi odbywa się w bardzo przyjemnych okolicznościach. Mam możliwość obserwowania ich jedzących lunch w przerwie od zajęć zawodowych. Ale i biesiadujących w gronie najbliższych, świętujących ważne wydarzenia rodzinne. Poznałam kulinarne preferencje Polaków, Włochów, Francuzów, Czechów i Niemców. I choć to już nie Europa, również tybetańskich lamów.

Szczególnie chętnie obserwuję, co jedzą i jak dbają o swoją sylwetkę kobiety. Jedne są szczupłe, innym nie brak krągłości. Bardziej pulchne są Polki, Czeszki i Niemki. Zazwyczaj smuklejsze od nich bywają Włoszki i Francuzki. Skąd te różnice? Co ukształtowało nasze nawyki żywieniowe?

My, jako Słowianki i mieszkanki tej części Europy, preferujemy jedzenie bardzo pożywne. Mamy zamiłowanie do potraw słodkich, kwaśnych i zaprawionych śmietaną.

Historia naszego kraju na przestrzeni wieków wzbogacała również kuchnię. Chociażby o wpływy kultury żydowskiej. Kiedy książę piastowski Kazimierz w 1333 r. zakochał się w pięknej Żydówce, do Polski trafiły ryby faszerowane. Dzięki pochodzącej z włoskiego Mediolanu królowej Bonie w naszej kuchni zagościły warzywa (stąd mamy włoszczyznę). Od Prusów przejęliśmy uprawę ziemniaków.

Natomiast w czasach Napoleona na salony weszła wyrafinowana kuchnia francuska.

Generalnie jednak nasza kuchnia jest prosta i nazbyt kaloryczna. Barszcz, żurek, krupnik z dodatkiem mięsa, kasz, pieczywa, z zawiesinami i zasmażkami z mąki pszennej to nasze narodowe dania. Jesienią lubimy zupy grzybowe. Jako że nasze babcie namiętnie kisiły kapustę, chętnie sięgamy po bigos z mięsem, kiełbasami i suszonymi śliwkami. Wiosną wprawdzie z radością witamy sałaty i rzodkiewki, ale nie do końca wiemy, jak je przyrządzać. W Europie na mięso w panierce mówi się, że to „po polsku". Ponieważ bułka tarta podczas smażenia wchłania ogromne ilości tłuszczu (oleju lub smalcu), jest ono wyjątkowo kaloryczne. Polacy jadają głównie wieprzowinę. Nie pozostaje to bez wpływu na nasze figury. Czesi mają swoje słynne knedle i piwo. Z pewnością nie grzeszą spożywaniem zbyt dużej ilości warzyw. Niemcy zajadają się ziemniakami, kiełbaskami (wurstami) i golonką. Lubią też swoje Spätzle (kluski). Pod względem kaloryczności ich kuchnia jest podobna do naszej.

To, co szczególnie rzuca się w oczy u południowców, to celebracja, z jaką podchodzą do posiłku. Nigdy, przenigdy nie jedzą w pośpiechu. Jeśli to tylko możliwe, do stołu zasiadają w towarzystwie. Powoli przeżuwając każdy kęs, delektują się jedzeniem. Starają się jeść potrawy przygotowane ze świeżych produktów. Włoszka podczas śniadania pozwoli sobie na małego croissanta lub rogalika, ale je go powoli i z namaszczeniem. I tylko jednego. Ludzie z południa Europy nie jedzą ziemniaków. Za to dużo sałat, szczególnie rukoli i młodego szpinaku.

Z mięs wybierają wołowinę, cielęcinę, jagnięcinę i ryby bez panierki, koniecznie z dodatkiem cytryny i oliwy z oliwek ekstra virgin. Jeżeli decydują się na drób, to chętniej sięgają po indyka niż kurczaka. Byłam ciekawa dlaczego. Odpowiedź jest prosta. Ponieważ nie chcą być smutasami. A to dlatego, że białko w mięsie kurczaka hodowanego szybko i wspomaganego paszami z dodatkiem substancji tuczących i antybiotykami nie zawiera wszystkich dziesięciu aminokwasów egzogennych. Brakuje mu tryptofanu, czyli tego, który odpowiada za dobry nastrój. Ponieważ indyk rośnie dłużej, nie można przyspieszyć tego procesu tak łatwo jak u kurczaków. Ale co ciekawe, mięso z kurcząt pochodzących z hodowli ekologicznych, które rosną w tempie wyznaczonym przez naturę, zawiera ten jakże cenny składnik. Jak wiadomo, i jajka od kur biegających po zielonej trawie smakują lepiej i służą zdrowiu. Ciekawą sprawą w kuchni włoskiej jest to, że nie tylko warzywa, ale i makarony gotuje się al dente (półtwarde). To dlatego, że wówczas są zasadotwórcze i nie tuczą.

Hiszpanie, Włosi, Grecy i Francuzi wieczorem piją (często rozcieńczone wodą) czerwone wino, swoje dobroczynne cechy zawdzięczające flawonoidom. Wśród nich największe uznanie zyskał wspomniany już wcześniej (przy omawianiu produktów korzystnych dla grup A i AB) resveratrol. To związek występujący w skórce czerwonych winogron ograniczający zlepianie się płytek krwi. Ma także swój udział w obniżaniu syntezy tłuszczów w wątrobie, usprawnianiu przepływu krwi, dotlenianiu organizmu i zwalczaniu wolnych rodników. Wszystko to składa się na szeroko rozumianą dietę śródziemnomorską, która uchodzi za jedną ze zdrowszych na świecie.

Z czystej zawodowej ciekawości pytałam Włoszki (zarówno te goszczące w mojej restauracji, jak i spotykane w czasie podróży po Półwyspie Apenińskim), co sądzą o polskiej kuchni. Mając na uwadze nasze sosy i zupy zagęszczane białą mąką oraz mięsa w panierce czy zasmażaną kapustę, odpowiadały, że jest „zbyt nordycka".

Miałam okazję poznać też lamów z Tybetu. Oni z kolei żywią się tylko tym, co pochodzi z ich regionu. Lubią jagnięcinę i warzywa. Herbatę parzą długo i dodają do niej klarowane masło. Jedzą jajka, całe — jeżeli pracują fizycznie, a tylko żółtka, jeśli medytują. To dlatego, że żółtka zawierają wspierającą pracę mózgu lecytynę. To pomaga im lepiej oddawać się rozmyślaniom i modlitwom. Nigdy nie łączą mięsa z węglowodanami. Jedzą wolno, delektując się posiłkiem. Długo przeżuwają chleb. Choć nie jedzą mało, są szczupli.

Zauważyłam, że jest coś, co łączy osoby o zgrabnych, proporcjonalnych sylwetkach, pochodzące z różnych środowisk i narodów. To spokój, z jakim podchodzą do posiłku. Nigdy się nie spieszą. Nie popędzają kucharza. Nie pytają, co można zjeść „już". Mają czas na zatrzymanie się i poświęcenie uwagi szczegółom. Na pozachwycanie się kwiatami i widokami z tarasu. W oczekiwaniu na posiłek prowadzą rozmowę z bliskimi. Ich nieodłącznym towarzyszem jest uśmiech.

Wygląda na to, że istotne jest nie tylko to, co jemy, ale i jak to robimy. A uważność zarezerwowana dla posiłku z czasem skutkuje uzyskaniem zgrabnej figury. Jedzmy wolniej. Wówczas mimo że zjemy mniej, odżywimy ciało i umysł.

9

Dlaczego 1500 kalorii?

PPM i PPPM a odchudzanie

W fizyce kaloria jest definiowana jako ilość ciepła potrzebna do podgrzania, pod ciśnieniem 1 atmosfery, 1 g czystej chemicznie wody o 1°C.

1 cal = 4,1855 J

Potoczne znaczenie tego słowa znacznie odbiega od rzeczywistego znaczenia tej jednostki. Mimo że w powszechnym użyciu jest słowo **kaloria**, wartości produktów żywnościowych podawane są w **kilokaloriach** (*kcal*), czyli tysiącach kalorii. Określenie ich liczby wyraża energię, którą przeciętnie wytwarza ludzki organizm dzięki spożyciu danego produktu. Energia pochodząca z żywności jest wykorzystywana do podtrzymania funkcji życiowych i aktywności fizycznej. Pożywienie jest źródłem energii, a jej wartość zależy od składu chemicznego tego, co zjadamy. Współczynniki Atwatera określają, że ze spalania:

- 1 g białka otrzymuje się ok. 4 kcal,
- 1 g węglowodanów otrzymuje się ok. 4 kcal,
- 1 g tłuszczów otrzymuje się ok. 9 kcal.

Tabela 9.1. Wydatki energii na wybrane czynności dla osoby o wadze około 70 kg

Rodzaj czynności	**Całkowity wydatek energii w kcal/godz. dla całego organizmu**
Leżenie	77
Siedzenie	100
Czytanie głośne	105
Stanie	105
Szycie ręczne	111
Ubieranie	118
Śpiew	122
Szycie na maszynie	137
Prasowanie	144
Ręczne zmywanie naczyń	144
Zamiatanie podłogi	169
Lekkie ćwiczenia sportowe	170
Wolny spacer	200
Ciężka praca fizyczna	240
Forsowne ćwiczenia fizyczne	290
Szybki marsz (6 km/h)	300
Schodzenie ze schodów	364
Wyczynowe ćwiczenia fizyczne	464
Pływanie	500
Bieganie 8,5 km/h	570
Wchodzenie na schody	1106

Źródło: K. Flis, W. Konaszewska, Podstawy żywienia człowieka

Podobnie jak w każdej innej dziedzinie nauki, także w dietetyce zachodzą zmiany. Z pewnością za 20 lat będziemy wiedzieli znacznie więcej na temat witamin czy konieczności zażywania suplementów. Dziś widzimy, że nie wszystkie zalecenia dietetyków sprzed 20 lat były trafione (chociażby długotrwałe spożywanie mleka prowadzące do częstszych przeziębień i nadwagi). Stare powiedzenie mówi „co pomoże kowalowi, zniszczy krawca". Kaloryczności nie można pominąć, ale pamiętajmy o tym, że istnieją kalorie dobre i tzw. puste. Ważne, żeby energia uwalniała się stopniowo. Takim pozytywnym przykładem jest zaliczana do węglowodanów złożonych, doskonałych do uwzględnienia podczas śniadania, kasza jaglana. Natomiast pustych kalorii dostarczają słodycze.

Swoją teorię na ten temat ma również Michael Montignac, lekarz kardiolog, który zrewolucjonizował sposób myślenia o diecie. Uważa on, że przyczyną tycia jest nie nadmiar kalorii jako takich, ale nagłe podniesienie się poziomu insuliny we krwi po posiłku. Trzustka powinna wydzielać niezmienną ilość insuliny bez względu na to, ile strawionych cukrów dostanie się do krwi. Rozregulowana, szaleje i produkuje jej więcej, niż potrzeba. Powstaje wówczas tzw. syndrom odpowiedzi głodowej. W organizmie krąży insulina, która chce „trawić", ale w krwiobiegu nie ma węglowodanów. Wtedy, by zadowolić trzustkę, sięgamy po coś słodkiego. Koło się zamyka, a waga rośnie.

A co z indeksem glikemicznym? To wskaźnik określający, jak szybko po spożyciu danego produktu wzrasta poziom insuliny we krwi. Im wzrost jest szybszy, tym IG osiąga wyższe wartości. Szybciej znaczy gorzej dla sylwetki. Wtedy jemy więcej i bardziej kalorycznie. Stosując dietę o niskim IG, unikamy dużych wahań cukru we krwi. Dzięki temu długo odczuwamy sytość. Niskim indeksem glikemicznym charakteryzują się warzywa (poniżej 35), niektóre owoce, migdały czy pestki dyni. Wysoki (powyżej 50) mają ziemniaki, ryż, białe pieczywo, słodycze, płatki kukurydziane, kasza manna i kuskus. Tych produktów lepiej w trakcie odchudzania unikać.

Teoria ta ma swoje minusy, ponieważ IG został ustalony dla pewnej grupy statystycznej. Jej członkom zmierzono poziom cukru we krwi po spożyciu danego produktu i na tej podstawie określono wielkość IG. Poziom cukru jest rzeczą bardzo indywidualną i u każdej osoby może się różnić. Nie wzięto niestety pod uwagę tłuszczu, który również jest zawarty w produktach, ale nie podnosi IG. A przecież wiadomo, że jego nadmiar szczupłości nie służy. Dlatego ważne jest, by dobrze skomponowana dieta dostarczała wszystkich składników odżywczych, a ich odpowiednio dobrane proporcje umożliwiały spalanie tkanki tłuszczowej.

Z tego powodu dobrze uzbroić się w cierpliwość. Bywa, że diety cud obiecują utratę 10 kg w dwa tygodnie. Jeśli nawet tak się stanie, na 100% pojawi się efekt jo-jo. To dlatego, że gwarancję stabilizacji daje powolna utrata wagi. Rolą diety jest naprowadzenie na prawidłowe ścieżki i utrwalenie nawyków żywieniowych, które wejdą w krew i staną się dla nas naturalne. Warto stosować rozdzielność (zwłaszcza podczas obiadu i kolacji), czyli mięso lub ryby jeść z warzywami, bez węglowodanów.

Dieta około 1500 kcal (oczywiście odpowiednio skomponowana) to dobry wybór dla osoby niepracującej fizycznie, prowadzącej raczej siedzący tryb życia, ale uprawiającej jakąś minimalną aktywność fizyczną (szybki spacer, pływanie lub jazdę na rowerze). Zapotrzebowanie kaloryczne dla niej to około 1700 – 1800 kcal. Tak więc 1500 kcal daje deficyt, który pozwala na powolne spalanie nagromadzonego tłuszczu. Kaloryczność diety można kontrolować na bieżąco w zależności od rezultatów. Może to być około 1400 lub około 1600 kcal. Taka dieta pozwala na utratę około 1 kg tłuszczu tygodniowo.

Od czego zacząć?

1. Dobrze się zmotywuj. Możesz przykleić na lodówce swoje zdjęcie z okresu, kiedy Twoja figura była powodem do dumy. Dobrze działa też powieszona na niej kartka z napisem: **„Od 18.00 nieczynne”**.
2. Jedz co najmniej 5 posiłków dziennie. Opuszczenie któregokolwiek grozi napadami wilczego głodu.
3. Nie przejadaj się, ale i nie głodź.
4. Stosuj zasadę: Im wcześniejszy posiłek, tym możesz zjeść więcej, czyli

„Śniadanie zjedz sam, obiadem podziel się z przyjacielem, kolację oddaj wrogowi".

Śniadanie jest najważniejsze, bo po nocnym odpoczynku rozkręca metabolizm. Rano potrzeba energii. Dobre śniadanie to sygnał dla organizmu, że może działać na wysokich obrotach. Na ten posiłek wybieraj dozwolone dla swojej grupy krwi produkty zbożowe. Do tego jakiś owoc i (jeśli Twoja grupa krwi na to pozwala) nabiał. Śniadanie powinno mieć około 350 – 450 kcal.

Drugie śniadanie podtrzymuje metabolizm, nie pozwalając popaść w syndrom odpowiedzi głodowej. Dzięki drugiemu śniadaniu nie rzucisz się na obiad i zjesz mniej. Na ten posiłek wybieraj dozwolone dla Ciebie owoce, orzechy i pestki, ewentualnie kanapkę z pełnoziarnistego pieczywa.

Obiad — o tej porze przemiana materii zwalnia. Trzustka trawiąca węglowodany przestaje pracować na najwyższych obrotach około 11.00. Dlatego osoba odchudzająca się podczas obiadu nie powinna spożywać już węglowodanów. Ten posiłek powinien składać się z dozwolonych produktów białkowych (ryba lub mięso), bez sosów, panierek, zasmażki, z porcją warzyw duszonych bądź w postaci surówki.

Podwieczorek — możesz sobie pozwolić na coś drobnego, żeby uniknąć wilczego apetytu przed kolacją. Właściwe będą surowe lub gotowane na parze warzywa, kilka dozwolonych orzechów lub pestek. To czas na drobną przyjemność, która zaspokoi mały głód.

Kolacja powinna być spożyta najpóźniej o 18.00. Zrezygnuj zupełnie z węglowodanów. Odpowiednie będzie chude mięso lub ryba z warzywami. Najlepiej gotowane, pieczone lub duszone.

Wszystkie posiłki powinny być kolorowe i urozmaicone. Nie wolno jeść w pośpiechu, broń Boże na stojąco! Ładna serwetka, talerzyk, kwiatek na stole — to akcenty, które umilą czas jedzenia i pozwolą łatwiej znieść niedogodności odchudzania. Najtrudniejszy jest pierwszy dzień. Kiedy waga drgnie i zacznie spadać, w organizmie wytworzą się endorfiny, a to pierwszy krok do poprawy samopoczucia. I jeszcze jedno — należy żuć powoli każdy kęs. Enzymy zawarte w ślinie częściowo trawią już posiłek. Wtedy soki żołądkowe i trzustka mają mniej do zrobienia. Posiłek zostanie lepiej przyswojony. Unikaj soli. Dodawaj ją do potraw pod koniec ich przygotowywania.

PPM i CPM a odchudzanie

Podstawowa przemiana materii (PPM) to najniższy poziom przemian energetycznych w organizmie człowieka. To teoretyczna wartość mierzona u ludzi na czczo, bez ruchu i bez stresu (obciążeń psychicznych), w temperaturze pokojowej. Energia tak wytworzona wystarcza jedynie na pokrycie podstawowych potrzeb życiowych: oddychania, utrzymania stałej temperatury ciała, pracy narządów oraz mięśni. Na wartość PPM ma wpływ wiek, płeć (u kobiet przemiana materii jest niższa o około 10% niż u mężczyzn, natomiast w ciąży wzrasta o około 30%). Nie bez znaczenia jest też masa ciała i klimat. Kiedy jest gorąco, jemy mniej. Gdy zbliżają się chłody, sięgamy po treściwe zupy i jemy więcej. We wczesnym dzieciństwie PPM jest najwyższa (nawet do 50% wyższa niż u dorosłych). Wiąże się to z szybkim wzrostem. W wieku młodzieńczym nie zmienia się znacząco, a w życiu dorosłym zaczyna się obniżać. Najniższe wartości osiąga po 65 roku życia.

Na podstawie doświadczeń ustalono, że wysokość PPM dla dorosłych jest zbliżona i wynosi 1 kcal na 1 kg masy ciała w ciągu 1 godziny. W ten sposób można obliczyć całodzienne zapotrzebowanie na PPM według wagi, np. dla ważącej 70 kg osoby będzie to:

$$70\ \text{kg} \cdot 1\ \text{kcal/kg} \cdot \text{h} \cdot 24\ \text{h} = 1680\ \text{kcal}$$

Praca umysłowa powoduje niewielki wzrost PPM. Natomiast praca fizyczna może ją zwiększyć nawet o 500 kcal. Posiłki również podnoszą PPM. Produkty białkowe o 40%, tłuszcz o 14%, a węglowodany o 6%. Jest to swoiste dynamiczne działanie pokarmu.

Całkowita przemiana materii (CPM) obejmuje wszystkie wydatki energii związane z wykonywaniem funkcji życiowych i składa się z przemiany podstawowej (PPM) i ponadpodstawowej (PPPM), czyli energii potrzebnej do wykonywania pracy, uprawiania sportu, codziennych czynności i trawienia.

CPM = PPM+PPPM

Na tej podstawie wiadomo, ile kalorii powinno się dostarczyć organizmowi z pożywienia, aby zaspokoić jego potrzeby energetyczne i utrzymać dotychczasową wagę. Inaczej jest, jeżeli chcemy pozbyć się zbędnych kilogramów. Wtedy ilość kalorii z pożywienia powinna być nieco niższa, niż wynosi zapotrzebowanie (CPM), a organizm powinien uruchomić rezerwy nagromadzonego tłuszczu.

Powinien. Dobre sobie! Gdyby to było takie proste, odchudzanie odbywałoby się jak za dotknięciem czarodziejskiej różdżki. Mówisz zaklęcie „chcę być szczupła, abrakadabra" i bez wysiłku 10 kg w dół. Szkoda, że to tak nie działa.

Człowiek teoretycznie posiada mechanizm regulujący spożycie potraw w ilości potrzebnej dla organizmu. Głód i sytość to dwa przeciwstawne odczucia, które decydują: jeść czy już przestać. Kontrolują one dwa ośrodki w mózgu w części zwanej podwzgórzem. Docierają tu różne sygnały metaboliczne, hormonalne i termiczne regulujące pobieranie pokarmu i odpowiadające za uczucie sytości i głodu. Pieczę nad tym procesem sprawuje mózg.

Naukowiec Achim Peters nazwał go samolubnym. Twierdzi on, że mózg niejako „zamawia" energię. Potrzebuje do prawidłowego funkcjonowania nawet do 130 g glukozy z ogółu 200 g spożywanych dziennie. Żeby dobrze zarządzać wszystkimi życiowymi procesami, potrzebuje energii właśnie w takiej postaci. Podczas kuracji odchudzającej tkanka tłuszczowa czy mięśnie mogą zredukować się nawet do 40%. Mózg natomiast nie chudnie. Czy to w stanie niedoboru pożywienia w czasach prehistorycznych, czy obecnie podczas drastycznej diety, organ ten egoistycznie będzie domagał się swojej racji nawet wbrew naszej woli, co grozi napadami wilczego głodu.

Dawno temu człowiek był narażony na brak żywności i niebezpieczeństwo czyhające w otoczeniu. Aby móc na nie odpowiednio zareagować, najważniejsze było prawidłowe funkcjonowanie mózgu. W sytuacji zagrożenia należało podjąć decyzję o ucieczce, a w przypadku braku strawy mózg „główkował", gdzie ją znaleźć. Mechanizm, który w czasach niedostatku pożywienia gwarantował właściwą pracę mózgu, działa w nas do dziś. Według autora *Samolubnego mózgu*, jeżeli te mechanizmy działają bez zarzutu, umożliwiają nam pozostanie szczupłym mimo nadpodaży jedzenia. Kiedy jednak nastąpi zakłócenie, wtedy tyjemy.

Do podstawowych czynników powodujących zakłócenia należy stres, czy to realny, czy wywołany oglądaniem filmów ze scenami przemocy. Mózg nie rozróżnia zagrożenia rzeczywistego (wilk napotkany w lesie) od sygnałów dostarczanych przez media. Podczas stresu jest wydzielany (wspominany tu wielokrotnie) kortyzol. Powoduje on, że z rezerw organizmu jest uruchamiana glukoza, która płynie do mózgu. Kiedy stosujemy leki syntetyczne podobne do kortyzolu, zakłócamy funkcjonowanie mózgu, więc tyjemy. Mózg błędnie odczytuje też przekaz płynący od słodzików. Na języku jest odczuwany smak słodki, ale za smakiem nie płynie do niego glukoza. Mózg nie wie, kiedy energia jest prawdziwa, a kiedy fałszywa, więc system zaczyna szwankować.

W czasach myśliwych i zbieraczy wiedza mózgu była czynnikiem pozwalającym przetrwać. Osoby mające informację, gdzie rosną jagody o najlepszym smaku czy jak odróżnić grzyby jadalne od trujących, miały większą szansę na przeżycie. Natomiast współczesne środowisko potrafi dostarczyć nam dobrych naturalnych produktów, ale też tych zafałszowanych, pachnących jak banan, ale niebędących bananem, słodkich jak miód, niemających jednak nic wspólnego z miodem. Ważne, żeby świadomie wybierać to, co dobre dla mózgu i ciała. Regularne odżywianie, czyli pięć posiłków dziennie, przyzwyczaja ten niezwykły organ do tego, że będzie miał zawsze pod dostatkiem energii, więc nie musi robić zapasów w postaci tłuszczu. Mechanizm współpracy pomiędzy ośrodkiem głodu i sytości funkcjonuje wtedy jak należy. To z kolei prowadzi do trwałych pozytywnych zmian zachowań w aspekcie jedzenia i picia. Rezultat to uzyskanie wymarzonej sylwetki.

10

Równowaga kwasowo-zasadowa a odchudzanie

Równowaga kwasowo-zasadowa to swoisty stan harmonii w organizmie, kiedy właściwie przebiegają wszystkie procesy życiowe. Stan równowagi kwasowo-zasadowej osiągamy, gdy pH krwi dla większości procesów przemiany materii wynosi 7,35 – 7,45. Wyższe oznacza przewagę w diecie składników zasadotwórczych, niższe — kwasotwórczych. Tyle teorii.

Ale co to ma wspólnego z odchudzaniem? Okazuje się, że całkiem sporo. O równowadze była już mowa w podrozdziale „Co w ciele gra, co w trzewiach piszczy?", więc tu jedynie kilka słów przypomnienia. Wszystko opiera się na równowadze. Wszechświat funkcjonuje w ten sposób, że utrzymuje harmonię między przeciwieństwami. Z kolei organizm usiłuje utrzymać ją pomiędzy kwasem i zasadą. Dlatego warto wiedzieć, że ważnym wskaźnikiem dla zdrowia i utraty niepotrzebnych kilogramów jest lekko zasadowy odczyn płynów ustrojowych.

Wyobraź sobie szkolną linijkę z cyframi od 1 do 10. Jedynka to obszar najbardziej kwaśny. Siedem — obojętny. Dziesiątka jest alkaliczna. W ciągu życia płyny ustrojowe przyjmują na tej skali różne wartości. Jedynie krew zawsze musi być zasadowa. Organizm zrobi wszystko, aby tak właśnie było. Kosmki jelitowe chwytają pokarm przemieszczający się przez jelito, przekształcając go w różnego rodzaju komórki (sercowe, wątrobowe, mózgowe). Aby mógł być zamieniony w czerwone krwinki, odczyn jelita cienkiego musi być zasadowy. A więc jakość jedzenia decyduje o jakości czerwonych krwinek, które z kolei mają wpływ na stan kości, mięśni i narządów. O ważnej roli jelit jest już w tej książce sporo informacji. Temat to jednak tak istotny, że przytoczę jeszcze słowa niemieckiego naturoterapeuty Haralda Hoscha: „Jelita są dla człowieka tym samym, czym ziemia dla roślin. Różnica polega jedynie na tym, że w przeciwieństwie do rośliny tkwiącej korzeniami w gruncie, my możemy się przemieszczać, dlatego musimy swój kawałek ziemi (zawartość jelit) nosić ze sobą. Składniki odżywcze z jedzenia rozłożone w jelitach są wchłaniane przez pełniące rolę korzeni wyrostki, czyli wspomniane wyżej kosmki jelitowe, i wraz z krwią transportowane do wszystkich komórek organizmu. Co robi rolnik, kiedy widzi, że jego roślina wiotczeje, traci liście i kwiaty? Przede wszystkim stara się doprowadzić do porządku ziemię, w której rośnie. Mówi: »gleba jest zbyt kwaśna«, nawozi ją, odprowadza nadmiar zbędnych składników, a ta wkrótce odpłaca mu pięknymi, zdrowymi liśćmi i kwiatami".

Niewiele osób zdaje sobie sprawę, że organizm dziecka karmionego piersią ma odczyn zasadowy. Dopiero z upływem lat, w zależności od sposobu odżywiania i stylu życia, ulega zakwaszeniu. Kiedy konsekwentnie odżywiamy się produktami w większości zasadotwórczymi, zgodnymi ze swoją grupą krwi, i pijemy dużo dobrej (wypłukującej toksyny) wody, ciało nie ma potrzeby zatrzymywania tłuszczu i zaczyna szczupleć. I jeszcze jedna ważna informacja: jeśli dieta jest bogata w zasady, maleje apetyt. Ciekawe jest to, że produkt o kwaśnym pH (poniżej 5,5) nie zawsze będzie działał kwasotwórczo. Takim przykładem jest kwas cytrynowy (pH 2,4). Okazuje się, że cytryna działa mocno zasadotwórczo. A to dlatego, że w owocach i niektórych warzywach występują sole różnych kwasów organicznych, które nadają produktom tylko kwaśny smak, a już po strawieniu są zasadowe. Z soli kwasów łatwo utleniających się, takich jak jabłkowy (jabłka, pomidory, śliwki) czy cytrynowy (ananasy, cytryny, pomidory), po utlenieniu pozostają kationy działające alkalizująco. Produkty, w których występuje kwas winowy (winogrona) i szczawiowy (rabarbar, truskawki, szpinak, szczaw, pomidory), też nie powodują zakwaszenia organizmu. Natomiast te bogate w kwas benzoesowy (borówki, żurawina) działają zakwaszająco. Kwas ten nie jest spalany w organizmie, lecz sprzęgany z glicyną w wątrobie, a następnie z moczem wydalany w postaci kwasu hipurowego. Za regulację równowagi kwasowo-zasadowej odpowiadają układy buforowe. Nieoceniona jest w tym względzie praca płuc i nerek. Te pierwsze poprzez przyspieszenie oddechu wentylują organizm i usuwają w ten sposób nadmiar zakwaszającego dwutlenku węgla.

Dokładne przeżuwanie pokarmu w ustach alkalizuje pożywienie. Odczyn generalnie zasadotwórczych warzyw zmienia się w kwas, kiedy są zbyt długo gotowane. Czarna herbata tuż po zaparzeniu jest kwasotwórcza, ale parzona w imbryku długo staje się alkaliczna (tak robią Rosjanie i lamowie tybetańscy). Należy jednak pamiętać, że kwas i zasada pełnią w organizmie odmienne, lecz równie ważne funkcje. Dlatego kwasotwórcze tłuste ryby, warzywa strączkowe, soja i orzechy także powinny być częścią dobrze zrównoważonej diety. Właściwie skomponowana to składająca się w osiemdziesięciu procentach z produktów zasadotwórczych, a tylko w dwudziestu z tych generujących kwas. W kuracji odchudzającej i odkwaszającej dobrze jest pić soki z owoców i warzyw. Zwłaszcza z buraków, bo to warzywo o wyjątkowych właściwościach alkalizujących, wspomagające eliminowanie nagromadzonych złogów. Znakomite są też soki owocowe świeżo wyciskane. Najlepiej miksować świeże owoce. Chodzi o to, by zjadać także miąższ. Ale trzeba również pamiętać, żeby robić to przed południem. Wtedy owoce lepiej działają. Ogromnie ważne jest picie dużej ilości wody, ponieważ zdarza się, że nadwaga i zakwaszenie wynika tylko z niedostatecznego „płukania" organizmu. Tyle mówi nam biochemia (nauka Zachodu). Jednak w tej dziedzinie wiele ma do powiedzenia także medycyna chińska (nauka Wschodu).

W ciekawy i jeszcze szerszy sposób podeszła do tego zagadnienia amerykańska dietetyczka Annemarie Colbin. Uważa ona, że każda grupa produktów ma określone właściwości. Rozpatrując je w kategoriach przeciwieństw, wyróżniamy pokarmy zakwaszające i alkalizujące, rozgrzewające lub chłodzące, ekspansywne lub ściągające, a w kategorii przemiany materii — budulcowe lub energetyczne.

I tak...

- mięso — właściwości ściągające, kwasotwórcze, umiarkowanie rozgrzewające, budulcowe;
- ryby i dziczyzna — ściągające, kwasotwórcze, umiarkowanie rozgrzewające i budulcowe;
- jajka — ściągające, kwasotwórcze, rozgrzewające, budulcowe;
- ziarna, kasze — ściągające, kwasotwórcze, umiarkowanie rozgrzewające, budulcowe;
- warzywa strączkowe — ściągające, zasadotwórcze; gotowane — rozgrzewające, budulcowe;
- warzywa korzeniowe — ściągające, zasadotwórcze, rozgrzewające (gotowane), umiarkowanie energetyczne;
- owoce — ekspansywne, zasadotwórcze, chłodzące, energetyczne;
- grupa psiankowatych (pomidory, papryka, ziemniaki, oberżyna) — ekspansywne, zasadotwórcze, na ogół chłodzące i energetyczne;
- zioła i przyprawy — zwykle ekspansywne, zwykle zasadotwórcze, mogą być chłodzące i rozgrzewające, ogólnie pobudzają metabolizm;
- tłuszcze i oleje — ekspansywne, kwasotwórcze, rozgrzewające i budulcowe;
- sól — ściągająca, zasadotwórcza, utrzymuje ciepło, pobudza metabolizm;
- cukier — ekspansywny, kwasotwórczy, utrzymuje chłód, pobudza nadmierne procesy budowy i procesy energotwórcze.

Dobrze też na oczyszczenie organizmu i wsparcie diety odchudzającej pić na czczo szklankę przegotowanej wody z sokiem wyciśniętym z $^1/_2$ małej cytryny. Dodatkowo dietę talerzową można wspomóc dobrymi suplementami zawierającym pierwiastki alkalizujące, czyli przede wszystkim magnez i wapń. Według badań czeskiego lekarza O. Horaka proces spalania tłuszczu rozpoczyna się prawdziwie, kiedy pH porannego moczu osiągnie 7. Można to samodzielnie zmierzyć papierkiem lakmusowym i w zależności od wyniku zwiększać lub zmniejszać ilość pokarmów zasadotwórczych i alkalizujących suplementów diety.

Zasadotwórcze są...

- wszystkie warzywa (z wyjątkiem brukselki, karczochów i dojrzałego zielonego groszku, soi);
- sałaty zielone (lodowa, masłowa, rukola, roszponka, szpinak, sałata rzymska);
- dojrzałe owoce (jabłka, gruszki, figi, banany, winogrona i rodzynki).

Szczegółowe zestawienie znajduje się w tabeli produktów na końcu książki.

Kwasotwórcze...

- mięso (zwłaszcza wieprzowina) — kwas moczowy, siarkowy, azotowy;
- słodycze, słodkie napoje, produkty z białej mąki, tłuszcze zwierzęce — kwas octowy;
- leki przeciwbólowe i przeciwgorączkowe — kwas acetylosalicylowy;
- kawa i herbata czarna — tanina;
- fizyczne przemęczenie — kwas mlekowy;
- stres, przygnębienie, złość — kwas chlorowodorowy;
- napoje gazowane — kwas węglowy, kwas fosforowy;

- wino — kwas winny i siarkowy, z wyjątkiem czerwonego wytrawnego (ma odczyn lekko zasadowy);
- sery żółte — kwas azotowy.

Tabela 10.1. Wartość wybranych substancji z określeniem ich pH według Wikipedii

Przykładowe wartości pH	
Substancja	**pH**
Kwas solny	0
Kwas akumulatorowy	< 1,0
Kwas żołądkowy	1,5 – 2
Sok cytrynowy	2,4
Coca-cola	2,5
Ocet	2,9
Sok pomarańczowy	3,5
Piwo	4,5
Kawa	5,0
Herbata	5,5
Kwaśny deszcz	< 5,6
Mleko	6,5
Chemicznie czysta woda	7
Ślina człowieka	6,5 – 7,4
Krew	7,1 – 7,4
Woda morska	8,0
Mydło	9,0 – 10,0
Woda amoniakalna	11,5
Wodorotlenek wapnia	12,5
Roztwór NaOH	14

11

Jadłospis dziesięciodniowy

1. Dzień

Jadłospis dziesięciodniowy	**Grupa krwi 0**	**Grupa krwi A**	**Grupa krwi B**	**Grupa krwi AB**
ŚNIADANIE **400 kcal** **(po przebudzeniu) 7.00 – 8.00**	Szklanka letniej, przegotowanej wody z sokiem z ½ małej cytryny Musli z płatków orkiszowych z dodatkiem suszonych moreli i suszonych śliwek z mlekiem sojowym bez cukru *Musli orkiszowe z owocami suszonymi: 325 kcal/100 g* *Mleko sojowe: 41 kcal/100 g*	Szklanka letniej, przegotowanej wody z sokiem z ½ małej cytryny Musli z płatków orkiszowych z dodatkiem suszonych moreli i suszonych śliwek z mlekiem sojowym bez cukru *Musli orkiszowe z owocami suszonymi: 325 kcal/100 g* *Mleko sojowe: 41 kcal/100g*	Szklanka letniej, przegotowanej wody z sokiem z ½ małej cytryny Musli z płatków orkiszowych z dodatkiem suszonych moreli i suszonych śliwek z jogurtem bez cukru *Musli orkiszowe z owocami suszonymi: 325 kcal/100 g* *Jogurt naturalny 2%: 60 kcal/100 g*	Szklanka letniej, przegotowanej wody z sokiem z ½ małej cytryny Musli z płatków orkiszowych z dodatkiem suszonych moreli i suszonych śliwek z jogurtem bez cukru *Musli orkiszowe z owocami suszonymi: 325 kcal/100 g* *Jogurt naturalny 2%: 60 kcal/100 g*
II ŚNIADANIE **200 kcal** **nie później niż 11.00**	Cząstki świeżego ananasa Kilka śliwek suszonych *Ananas: 54 kcal/100 g* *Suszone śliwki: 267 kcal/100 g*	2 jajka na twardo Cząstki świeżego ananasa *Jajko na twardo: 139 kcal/100 g* *Ananas: 54 kcal/100 g*	2 jajka na twardo Cząstki świeżego ananasa *Jajko na twardo: 139 kcal/100 g* *Ananas: 54 kcal/100 g*	2 jajka na twardo Cząstki świeżego ananasa *Jajko na twardo: 139 kcal/100 g* *Ananas: 54 kcal/100 g*

OBIAD **450 kcal** **około 13.00**	Gotowana pierś z indyka z łyżeczką oliwy z oliwek, podana z sałatką ze szpinaku, gruszek i pestek dyni, sos vinaigrette na bazie oliwy z oliwek *Gotowana pierś z indyka: 84 kcal/100 g* *Szpinak: 16 kcal/100 g* *Gruszka: 54 kcal/100 g* *Pestki dyni: 556 kcal/100 g*	Gotowana pierś z indyka z łyżeczką oliwy z oliwek, podana z sałatką ze szpinaku, gruszek i pestek dyni, sos vinaigrette na bazie oliwy z oliwek *Gotowana pierś z indyka: 84 kcal/100 g* *Szpinak: 16 kcal/100 g* *Gruszka: 54 kcal/100 g* *Pestki dyni: 556 kcal/100 g*	Gotowana pierś z indyka z łyżeczką oliwy z oliwek, podana z sałatką ze szpinaku, gruszek, sos vinaigrette na bazie oliwy z oliwek *Gotowana pierś z indyka: 84 kcal/100 g* *Szpinak: 16 kcal/100 g* *Gruszka: 54 kcal/100 g*	Gotowana pierś z indyka z łyżeczką oliwy z oliwek, podana z sałatką ze szpinaku, gruszek, sos vinaigrette na bazie oliwy z oliwek *Gotowana pierś z indyka: 84 kcal/100 g* *Szpinak: 16 kcal/100 g* *Gruszka: 54 kcal/100 g*
PODWIECZOREK **200 kcal** **15.00 – 16.00**	Brokuły gotowane na parze Grzanka z chleba orkiszowego *Brokuły: 24 kcal/100 g* *Grzanka z chleba orkiszowego: 250 kcal/100 g*	Brokuły gotowane na parze 10 – 15 migdałów *Brokuły: 24 kcal/100 g* *Migdały: 572 kcal/100 g*	Brokuły gotowane na parze 10 – 15 migdałów *Brokuły: 24 kcal/100 g* *Migdały: 572 kcal/100 g*	Brokuły gotowane na parze 10 – 15 migdałów *Brokuły: 24 kcal/100 g* *Migdały: 572 kcal/100 g*
KOLACJA **250 kcal** **18.00**	Sałatka z gotowanych buraczków z sałatą rzymską i czerwoną cebulą, skropiona oliwą z oliwek *Gotowane buraczki: 34 kcal/100 g* *Sałata rzymska: 17 kcal/100 g* *Czerwona cebula: 33 kcal/100 g*	Sałatka z gotowanych buraczków z sałatą rzymską i czerwoną cebulą, skropiona oliwą z oliwek *Gotowane buraczki: 34 kcal/100 g* *Sałata rzymska: 17 kcal/100 g* *Czerwona cebula: 33 kcal/100 g*	Sałatka z gotowanych buraczków z sałatą rzymską i czerwoną cebulą, skropiona oliwą z oliwek *Gotowane buraczki: 34 kcal/100 g* *Sałata rzymska: 17 kcal/100 g* *Czerwona cebula: 33 kcal/100 g*	Sałatka z gotowanych buraczków z sałatą rzymską i czerwoną cebulą, skropiona oliwą z oliwek *Gotowane buraczki: 34 kcal/100 g* *Sałata rzymska: 17 kcal/100 g* *Czerwona cebula: 33 kcal/100 g*
KALORIE **1500**	Pamiętaj o wypiciu w ciągu dnia 2,5 l wody niegazowanej	Pamiętaj o wypiciu w ciągu dnia 2,5 l wody niegazowanej	Pamiętaj o wypiciu w ciągu dnia 2,5 l wody niegazowanej	Pamiętaj o wypiciu w ciągu dnia 2,5 l wody niegazowanej

2. Dzień

Jadłospis dziesięciodniowy	Grupa krwi 0	Grupa krwi A	Grupa krwi B	Grupa krwi AB
ŚNIADANIE **400 kcal** **(po przebudzeniu)** **7.00 – 8.00**	Szklanka letniej, przegotowanej wody z sokiem z ½ małej cytryny Chleb żytni Wasa skropiony oliwą z oliwek, sałata zielona, rzodkiewki, pasta z tuńczyka z natką pietruszki *Chleb żytni Wasa: 374 kcal/100 g* *Sałata zielona: 14 kcal/100 g* *Rzodkiewka: 14 kcal/100 g* *Tuńczyk w sosie własnym: 100 kcal/100 g* *Pietruszka zielona: 41 kcal/100 g*	Szklanka letniej, przegotowanej wody z sokiem z ½ małej cytryny Chleb żytni Wasa skropiony oliwą z oliwek, sałata zielona, rzodkiewki, pasta z tuńczyka z natką pietruszki *Chleb żytni Wasa: 374 kcal/100 g* *Sałata zielona: 14 kcal/100 g* *Rzodkiewka: 14 kcal/100 g* *Tuńczyk w sosie własnym: 100 kcal/100 g* *Pietruszka zielona: 41 kcal/100 g*	Szklanka letniej, przegotowanej wody z sokiem z ½ małej cytryny Chleb orkiszowy skropiony oliwą z oliwek z sałatą zieloną i ogórkiem, pasta z tuńczyka z natką pietruszki *Chleb orkiszowy: 240 kcal/100 g* *Sałata zielona: 14 kcal/100 g* *Tuńczyk w sosie własnym: 100 kcal/100 g* *Ogórek: 13 kcal/100 g* *Pietruszka zielona: 41 kcal/100 g*	Szklanka letniej, przegotowanej wody z sokiem z ½ małej cytryny Chleb żytni Wasa skropiony oliwą z oliwek z sałatą zieloną i ogórkiem, pasta z tuńczyka z natką pietruszki *Chleb żytni Wasa: 374 kcal/100 g* *Sałata zielona: 14 kcal/100 g* *Tuńczyk w sosie własnym: 100 kcal/100 g* *Ogórek: 13 kcal/100 g* *Pietruszka zielona: 41 kcal/100 g*
II ŚNIADANIE **200 kcal** **nie później niż 11.00**	Jabłko, winogrona świeże *Jabłko: 46 kcal/100 g* *Świeże winogrona: 69 kcal/100 g*	Jabłko, winogrona świeże *Jabłko: 46 kcal/100 g* *Świeże winogrona: 69 kcal/100 g*	Jabłko, winogrona świeże *Jabłko: 46 kcal/100 g* *Świeże winogrona: 69 kcal/100 g*	Jabłko, winogrona świeże *Jabłko: 46 kcal/100 g* *Świeże winogrona: 69 kcal/100 g*

OBIAD **450 kcal** **około 13.00**	Łosoś pieczony podany z warzywami duszonymi: fasolką szparagową, selerem, cukinią, marchewką *Łosoś pieczony: 201 kcal/100 g* *Fasolka szparagowa: 27 kcal/100 g* *Seler: 21 kcal/100 g* *Cukinia: 16 kcal/100 g* *Marchew: 27 kcal/100 g*	Łosoś pieczony podany z warzywami duszonymi: fasolką szparagową, selerem, cukinią, marchewką *Łosoś pieczony: 201 kcal/100 g* *Fasolka szparagowa: 27 kcal/100 g* *Seler: 21 kcal/100 g* *Cukinia: 16 kcal/100 g* *Marchew: 27 kcal/100 g*	Łosoś pieczony podany z warzywami duszonymi: fasolką szparagową, selerem, cukinią, marchewką *Łosoś pieczony: 201 kcal/100 g* *Fasolka szparagowa: 27 kcal/100 g* *Seler: 21 kcal/100 g* *Cukinia: 16 kcal/100 g* *Marchew: 27 kcal/100 g*	Łosoś pieczony podany z warzywami duszonymi: fasolką szparagową, selerem, cukinią, marchewką *Łosoś pieczony: 201 kcal/100 g* *Fasolka szparagowa: 27 kcal/100 g* *Seler: 21 kcal/100 g* *Cukinia: 16 kcal/100 g* *Marchew: 27 kcal/100 g*
PODWIECZOREK **200 kcal** **15.00 – 16.00**	Surówka z marchewki z ananasem i odrobiną utartego imbiru *Marchew: 27 kcal/100 g* *Ananas: 54 kcal/100 g* *Imbir: 50 kcal/100 g*	Surówka z marchewki z ananasem i odrobiną utartego imbiru *Marchew: 27 kcal/100 g* *Ananas: 54 kcal/100 g* *Imbir: 50 kcal/100 g*	Surówka z marchewki z ananasem i odrobiną utartego imbiru *Marchew: 27 kcal/100 g* *Ananas: 54 kcal/100 g* *Imbir: 50 kcal/100 g*	Surówka z marchewki z ananasem i odrobiną utartego imbiru *Marchew: 27 kcal/100 g* *Ananas: 54 kcal/100 g* *Imbir: 50 kcal/100 g*
KOLACJA **250 kcal** **18.00**	Sałatka z rukoli, liści szpinaku, z brzoskwiniami, z kuleczkami mozzarelli, skropiona sosem vinaigrette *Rukola: 25 kcal/100 g* *Szpinak: 16 kcal/100 g* *Brzoskwinia: 40 kcal/100 g* *Mozzarella: 224 kcal/100 g*	Sałatka z rukoli, liści szpinaku, z brzoskwiniami, z kuleczkami mozzarelli, skropiona sosem vinaigrette *Rukola: 25 kcal/100 g* *Szpinak: 16 kcal/100 g* *Brzoskwinia: 40 kcal/100 g* *Mozzarella: 224 kcal/100 g*	Sałatka z rukoli, liści szpinaku, z brzoskwiniami, z kuleczkami mozzarelli, skropiona sosem vinaigrette *Rukola: 25 kcal/100 g* *Szpinak: 16 kcal/100 g* *Brzoskwinia: 40 kcal/100 g* *Mozzarella: 224 kcal/100 g*	Sałatka z rukoli, liści szpinaku, z brzoskwiniami, z kuleczkami mozzarelli, skropiona sosem vinaigrette *Rukola: 25 kcal/100 g* *Szpinak: 16 kcal/100 g* *Brzoskwinia: 40 kcal/100 g* *Mozzarella: 224 kcal/100 g*
KALORIE **1500**	Pamiętaj o wypiciu w ciągu dnia 2,5 l wody niegazowanej	Pamiętaj o wypiciu w ciągu dnia 2,5 l wody niegazowanej	Pamiętaj o wypiciu w ciągu dnia 2,5 l wody niegazowanej	Pamiętaj o wypiciu w ciągu dnia 2,5 l wody niegazowanej

3. Dzień

Jadłospis dziesięciodniowy	Grupa krwi 0	Grupa krwi A	Grupa krwi B	Grupa krwi AB
ŚNIADANIE **400 kcal** **(po przebudzeniu)** **7.00 – 8.00**	Szklanka letniej, przegotowanej wody z sokiem z ½ małej cytryny Musli orkiszowe z mlekiem owsianym z dodatkiem suszonych fig *Musli orkiszowe: 358 kcal/100 g* *Mleko owsiane: 45 kcal/100 g* *Suszone figi: 290 kcal/100 g*	Szklanka letniej, przegotowanej wody z sokiem z ½ małej cytryny Musli orkiszowe z mlekiem owsianym z dodatkiem suszonych fig *Musli orkiszowe: 358 kcal/100 g* *Mleko owsiane: 45 kcal/100 g* *Suszone figi: 290 kcal/100 g*	Szklanka letniej, przegotowanej wody z sokiem z ½ małej cytryny Musli orkiszowe z mlekiem owsianym z dodatkiem suszonych fig *Musli orkiszowe: 358 kcal/100 g* *Mleko owsiane: 45 kcal/100 g* *Suszone figi: 290 kcal/100 g*	Szklanka letniej, przegotowanej wody z sokiem z ½ małej cytryny Musli orkiszowe z mlekiem owsianym z dodatkiem suszonych fig *Musli orkiszowe: 358 kcal/100 g* *Mleko owsiane: 45 kcal/100 g* *Suszone figi: 290 kcal/100 g*
II ŚNIADANIE **250 kcal** **nie później niż 11.00**	Banan *Banany: 95 kcal/100 g*	Brzoskwinie lub śliwki *Brzoskwinie: 46 kcal/100 g* *Śliwki: 45 kcal/100 g*	Banan *Banany: 95 kcal/100 g*	Brzoskwinie lub śliwki *Brzoskwinie: 46 kcal/100 g* *Śliwki: 45 kcal/100 g*
OBIAD **450 kcal** **około 13.00**	Piccata z indyka z zielonymi szparagami *Filet z indyka: 84 kcal/100 g* *Marchew: 27 kcal/100 g* *Seler naciowy: 13 kcal/100 g* *Zielone szparagi: 18 kcal/100 g*	Piccata z indyka z zielonymi szparagami *Filet z indyka: 84 kcal/100 g* *Marchew: 27 kcal/100 g* *Seler naciowy: 13 kcal/100 g* *Zielone szparagi: 18 kcal/100 g*	Piccata z indyka z zielonymi szparagami *Filet z indyka: 84 kcal/100 g* *Marchew: 27 kcal/100 g* *Seler naciowy: 13 kcal/100 g* *Zielone szparagi: 18 kcal/100 g*	Piccata z indyka z zielonymi szparagami *Filet z indyka: 84 kcal/100 g* *Marchew: 27 kcal/100 g* *Seler naciowy: 13 kcal/100 g* *Zielone szparagi: 18 kcal/100 g*

PODWIECZOREK **200 kcal** **15.00 – 16.00**	2 grzanki z chleba żytniego z oliwą z oliwek i plastrami kalarepy *Grzanka z chleba żytniego: 191 kcal/100 g* *Kalarepa: 26 kcal/100 g*	2 grzanki z chleba żytniego z oliwą z oliwek i plastrami kalarepy *Grzanka z chleba żytniego: 191 kcal/100 g* *Kalarepa: 26 kcal/100 g*	2 grzanki z chleba orkiszowego z oliwą z oliwek i plastrami kalarepy *Grzanka z chleba orkiszowego: 250 kcal/100 g* *Kalarepa 26 kcal/100 g*	2 grzanki z chleba żytniego z oliwą z oliwek i plastrami kalarepy *Grzanka z chleba żytniego: 191 kcal/100 g* *Kalarepa: 26 kcal/100 g*
KOLACJA **250 kcal** **18.00**	Dorsz w warzywach (marchewka, seler, groszek zielony) skropiony cytryną *Dorsz: 78 kcal/100 g* *Marchew: 27 kcal/100 g* *Seler: 21 kcal/100 g* *Groszek zielony: 75 kcal/100 g*	Dorsz w warzywach (marchewka, seler, groszek zielony) skropiony cytryną *Dorsz: 78 kcal/100 g* *Marchew: 27 kcal/100 g* *Seler: 21 kcal/100 g* *Groszek zielony: 75 kcal/100 g*	Dorsz w warzywach (marchewka, seler, groszek zielony) skropiony cytryną *Dorsz: 78 kcal/100 g* *Marchew: 27 kcal/100 g* *Seler: 21 kcal/100 g* *Groszek zielony: 75 kcal/100 g*	Dorsz w warzywach (marchewka, seler, groszek zielony) skropiony cytryną *Dorsz: 78 kcal/100 g* *Marchew: 27 kcal/100 g* *Seler: 21 kcal/100 g* *Groszek zielony: 75 kcal/100 g*
KALORIE **1500**	Pamiętaj o wypiciu w ciągu dnia 2,5 l wody niegazowanej	Pamiętaj o wypiciu w ciągu dnia 2,5 l wody niegazowanej	Pamiętaj o wypiciu w ciągu dnia 2,5 l wody niegazowanej	Pamiętaj o wypiciu w ciągu dnia 2,5 l wody niegazowanej

4. Dzień

Jadłospis dziesięciodniowy	Grupa krwi 0	Grupa krwi A	Grupa krwi B	Grupa krwi AB
ŚNIADANIE **400 kcal** **(po przebudzeniu)** **7.00 – 8.00**	Szklanka letniej, przegotowanej wody z sokiem z ½ małej cytryny Kanapka z chleba orkiszowego z sałatą zieloną, 2 jajka na półtwardo, pomidor *Chleb orkiszowy: 240 kcal/100 g* *Zielona sałata: 14 kcal/100 g* *Jajko: 139 kcal/100 g* *Pomidor: 15 kcal/100 g*	Szklanka letniej, przegotowanej wody z sokiem z ½ małej cytryny Kanapka z chleba orkiszowego z sałatą zieloną, 2 jajka na półtwardo, ogórek, rzodkiewki *Chleb orkiszowy: 240 kcal/100 g* *Zielona sałata: 14 kcal/100 g* *Jajko: 139 kcal/100 g* *Ogórek: 13 kcal/100 g* *Rzodkiewka: 14 kcal/100 g*	Szklanka letniej, przegotowanej wody z sokiem z ½ małej cytryny Kanapka z chleba orkiszowego z sałatą zieloną, 2 jajka na półtwardo, ogórek, paseczki papryki czerwonej *Chleb orkiszowy: 240 kcal/100 g* *Zielona sałata: 14 kcal/100 g* *Jajko: 139 kcal/100 g* *Ogórek: 13 kcal/100 g* *Papryka czerwona: 28 kcal/100 g*	Szklanka letniej, przegotowanej wody z sokiem z ½ małej cytryny Kanapka z chlebka orkiszowego z sałatą zieloną, 2 jajka na półtwardo, pomidor *Chleb orkiszowy: 240 kcal/100 g* *Zielona sałata: 14 kcal/100 g* *Jajko: 139 kcal/100 g* *Pomidor: 15 kcal/100 g*
II ŚNIADANIE **250 kcal** **nie później niż 11.00**	2 jabłka Plaster sera tofu *Jabłko: 46 kcal/100 g* *Ser tofu: 72 kcal/100 g*	Garść orzechów laskowych Jabłko *Orzechy laskowe: 640 kcal/100 g* *Jabłko: 46 kcal/100 g*	Kilka migdałów Jabłko *Migdały: 572 kcal/100 g* *Jabłko: 46 kcal/100 g*	Kilka migdałów Jabłko *Migdały: 572 kcal/100 g* *Jabłko: 46 kcal/100 g*

OBIAD **450 kcal** **około 13.00**	Filet z okonia sauté, surówka z kapusty pekińskiej z papryką i zielonym groszkiem z oliwą z oliwek *Okoń: 91 kcal/100 g* *Kapusta pekińska: 12 kcal/100 g* *Papryka czerwona: 28 kcal/100 g* *Zielony groszek: 75 kcal/100 g*	Filet z okonia sauté, blanszowana sałata rzymska z duszonymi boczniakami na oliwie z oliwek *Okoń: 91 kcal/100 g* *Sałata rzymska: 17 kcal/100 g* *Boczniaki: 32 kcal/100 g*	Filet z okonia sauté, surówka z kapusty pekińskiej z papryką i zielonym groszkiem z oliwą z oliwek *Okoń: 91 kcal/100 g* *Kapusta pekińska: 12 kcal/100 g* *Papryka czerwona: 28 kcal/100 g* *Zielony groszek: 75 kcal/100 g*	Filet z okonia sauté, blanszowana sałata rzymska z duszonymi boczniakami na oliwie z oliwek *Okoń: 91 kcal/100 g* *Sałata rzymska: 17 kcal/100 g* *Boczniaki: 32 kcal/100 g*
PODWIECZOREK **200 kcal** **15.00 – 16.00**	Łodygi selera naciowego i paluszki z marchewki *Seler naciowy: 13 kcal/100 g* *Marchew: 27 kcal/100 g*	Łodygi selera naciowego i paluszki z marchewki *Seler naciowy: 13 kcal/100 g* *Marchew: 27 kcal/100 g*	Łodygi selera naciowego i paluszki z marchewki *Seler naciowy: 13 kcal/100 g* *Marchew: 27 kcal/100 g*	Łodygi selera naciowego i paluszki z marchewki *Seler naciowy: 13 kcal/100 g* *Marchew: 27 kcal/100 g*
KOLACJA **250 kcal** **18.00**	Sałatka hawajska z grillowanym indykiem i ananasem, miks sałat zielonych z sosem vinaigrette *Grillowany indyk: 84 kcal/100 g* *Ananas: 54 kcal/100 g* *Sałata zielona: 14 kcal/100 g*	Sałatka hawajska z grillowanym indykiem i ananasem, miks sałat zielonych z sosem vinaigrette *Grillowany indyk: 84 kcal/100 g* *Ananas: 54 kcal/100 g* *Sałata zielona: 14 kcal/100 g*	Sałatka hawajska z grillowanym indykiem i ananasem, miks sałat zielonych z sosem vinaigrette *Grillowany indyk: 84 kcal/100 g* *Ananas: 54 kcal/100 g* *Sałata zielona: 14 kcal/100 g*	Sałatka hawajska z grillowanym indykiem i ananasem, miks sałat zielonych z sosem vinaigrette *Grillowany indyk: 84 kcal/100 g* *Ananas: 54 kcal/100 g* *Sałata zielona: 14 kcal/100 g*
KALORIE **1500**	Pamiętaj o wypiciu w ciągu dnia 2,5 l wody niegazowanej	Pamiętaj o wypiciu w ciągu dnia 2,5 l wody niegazowanej	Pamiętaj o wypiciu w ciągu dnia 2,5 l wody niegazowanej	Pamiętaj o wypiciu w ciągu dnia 2,5 l wody niegazowanej

5. Dzień

Jadłospis dziesięciodniowy	Grupa krwi 0	Grupa krwi A	Grupa krwi B	Grupa krwi AB
<u>ŚNIADANIE</u> **400 kcal** **(po przebudzeniu) 7.00 – 8.00**	Szklanka letniej, przegotowanej wody z sokiem z ½ małej cytryny Kasza jaglana z mlekiem sojowym i owocami (suszone morele pokrojone w paseczki, suszona żurawina) *Kasza jaglana: 378 kcal/100 g* *Mleko sojowe: 41 kcal/100g* *Suszone morele: 288 kcal/100 g* *Suszona żurawina: 331 kcal/100 g*	Szklanka letniej, przegotowanej wody z sokiem z ½ małej cytryny Kasza jaglana z mlekiem sojowym i owocami (suszone morele pokrojone w paseczki, suszona żurawina) *Kasza jaglana: 378 kcal/100 g* *Mleko sojowe: 41 kcal/100 g* *Suszone morele: 288 kcal/100 g* *Suszona żurawina: 331 kcal/100 g*	Szklanka letniej, przegotowanej wody z sokiem z ½ małej cytryny Kasza jaglana z jogurtem i owocami (suszone morele pokrojone w paseczki, suszona żurawina) *Kasza jaglana: 378 kcal/100 g* *Jogurt naturalny 2%: 60 kcal/100 g* *Suszona morela: 288 kcal/100 g* *Suszona żurawina: 331 kcal/100 g*	Szklanka letniej, przegotowanej wody z sokiem z ½ małej cytryny Kasza jaglana z jogurtem i owocami (suszone morele pokrojone w paseczki, suszona żurawina) *Kasza jaglana: 378 kcal/100 g* *Jogurt naturalny 2%: 60 kcal/100 g* *Suszone morele: 288 kcal/100 g* *Suszona żurawina: 331 kcal/100 g*
<u>II ŚNIADANIE</u> **250 kcal** **nie później niż 11.00**	2 średnie grejpfruty *Grejpfrut: 36 kcal/100 g*	Śliwki suszone Sok grejpfrutowy *Śliwki suszone: 267 kcal/100 g* *Grejpfrut: 36 kcal/100 g*	Śliwki suszone Sok grejpfrutowy *Śliwki suszone: 267 kcal/100 g* *Grejpfrut: 36 kcal/100 g*	Śliwki suszone Sok grejpfrutowy *Śliwki suszone: 267 kcal/100 g* *Grejpfrut: 36 kcal/100 g*

OBIAD **450 kcal** **około 13.00**	Pstrąg pieczony sauté z cytryną i zieloną pietruszką, bukiet warzyw z wody (różyczki brokułów, marchewki paryskie) *Pstrąg: 97 kcal/100 g* *Brokuły: 24 kcal/100 g* *Marchew: 27 kcal/100 g* *Pietruszka zielona: 41 kcal/100 g*	Pstrąg pieczony sauté z cytryną i zieloną pietruszką, bukiet warzyw z wody (różyczki kalafiora, brokułów, marchewki paryskie) *Pstrąg: 97 kcal/100 g* *Kalafior: 20 kcal/100 g* *Brokuły: 24 kcal/100 g* *Marchew: 27 kcal/100 g* *Pietruszka zielona: 41 kcal/100 g*	Stek z tuńczyka sauté z cytryną i zieloną pietruszką, bukiet warzyw z wody (różyczki kalafiora, brokułów, marchewki paryskie) *Tuńczyk: 110 kcal/100 g* *Kalafior: 20 kcal/100 g* *Brokuły: 24 kcal/100 g* *Marchew: 27 kcal/100 g* *Pietruszka zielona: 41 kcal/100 g*	Stek z tuńczyka sauté z cytryną i zieloną pietruszką, bukiet warzyw z wody (różyczki kalafiora, brokułów, marchewki paryskie) *Tuńczyk: 110 kcal /100 g* *Kalafior: 20 kcal/100 g* *Brokuły: 24 kcal/100 g* *Marchew: 27 kcal/100 g* *Pietruszka zielona: 41 kcal/100 g*
PODWIECZOREK **200 kcal** **15.00 – 16.00**	Śliwki suszone *Śliwki suszone: 267 kcal/100 g*	Kilka orzechów laskowych *Orzechy laskowe: 640 kcal/100 g*	Kilka orzechów włoskich *Orzechy włoskie: 645 kcal/100 g*	Kilka orzechów włoskich *Orzechy włoskie: 645 kcal/100 g*
KOLACJA **250 kcal** **18.00**	Ratatuj warzywne z duszonej cukinii, cebuli, czerwonej papryki, posypane kostkami sera feta *Cukinia: 15 kcal/100 g* *Cebula: 30 kcal/100 g* *Czerwona papryka: 28 kcal/100 g* *Feta: 215 kcal/100 g*	Ratatuj warzywne z duszonej cukinii, cebuli czerwonej, fasolki szparagowej, kalarepy, posypane kostkami sera feta *Cukinia: 15 kcal/100 g* *Cebula czerwona: 30 kcal/100 g* *Fasolka szparagowa: 27 kcal/100 g* *Kalarepa: 26 kcal/100 g* *Feta: 215 kcal/100 g*	Ratatuj warzywne z duszonej cukinii, cebuli, czerwonej papryki, posypane kostkami sera feta *Cukinia: 15 kcal/100 g* *Cebula: 30 kcal/100 g* *Czerwona papryka: 28 kcal/100 g* *Feta: 215 kcal/100 g*	Ratatuj warzywne z duszonej cukinii, cebuli, fasolki szparagowej, kalarepy, posypane kostkami sera feta *Cukinia: 15 kcal/100 g* *Cebula: 30 kcal/100 g* *Fasolka szparagowa: 27 kcal/100 g* *Kalarepa: 26 kcal/100 g* *Feta: 215 kcal/100 g*
KALORIE **1500**	Pamiętaj o wypiciu w ciągu dnia 2,5 l wody niegazowanej	Pamiętaj o wypiciu w ciągu dnia 2,5 l wody niegazowanej	Pamiętaj o wypiciu w ciągu dnia 2,5 l wody niegazowanej	Pamiętaj o wypiciu w ciągu dnia 2,5 l wody niegazowanej

6. Dzień

Jadłospis dziesięciodniowy	Grupa krwi 0	Grupa krwi A	Grupa krwi B	Grupa krwi AB
ŚNIADANIE 400 kcal (po przebudzeniu) 7.00 – 8.00	Szklanka letniej, przegotowanej wody z sokiem z ½ małej cytryny Jajecznica z dwóch jaj na kropli oliwy z oliwek ze szczypiorkiem Chleb orkiszowy *Jajko: 139 kcal/100 g* *Szczypiorek: 29 kcal/100 g* *Chleb orkiszowy: 240 kcal/100 g*	Szklanka letniej, przegotowanej wody z sokiem z ½ małej cytryny Jajecznica z dwóch jaj na kropli oliwy z oliwek ze szczypiorkiem Chleb orkiszowy *Jajko: 139 kcal/100 g* *Szczypiorek: 29 kcal/100 g* *Chleb orkiszowy: 240 kcal/100 g*	Szklanka letniej, przegotowanej wody z sokiem z ½ małej cytryny Jajecznica z dwóch jaj na kropli oliwy z oliwek ze szczypiorkiem Chleb orkiszowy *Jajko: 139 kcal/100 g* *Szczypiorek: 29 kcal/100 g* *Chleb orkiszowy: 240 kcal/100 g*	Szklanka letniej, przegotowanej wody z sokiem z ½ małej cytryny Jajecznica z dwóch jaj na kropli oliwy z oliwek ze szczypiorkiem Chleb orkiszowy *Jajko: 139 kcal/100 g* *Szczypiorek: 29 kcal/100 g* *Chleb orkiszowy: 240 kcal/100 g*
II ŚNIADANIE 200 kcal nie później niż 11.00	Winogrona *Winogrona: 69 kcal/100 g*	2 kiwi *Kiwi: 56 kcal/100 g*	2 kiwi *Kiwi: 56 kcal/100 g*	2 kiwi *Kiwi: 56 kcal/100 g*
OBIAD 450 kcal około 13.00	Stek z polędwicy wołowej, szparagi białe z wody posypane zielonym groszkiem *Polędwica wołowa: 113 kcal/100 g* *Szparagi białe: 18 kcal/100 g* *Zielony groszek: 75 kcal/100 g*	Pierś z indyka z grilla skropiona oliwą z oliwek podana ze szparagami i zielonym groszkiem *Pierś z indyka: 84 kcal/100 g* *Szparagi zielone: 18 kcal/100 g* *Zielony groszek: 75 kcal/100 g*	Stek z polędwicy wołowej, szparagi zielone z wody posypane zielonym groszkiem *Polędwica wołowa: 113 kcal/100 g* *Szparagi zielone: 18 kcal/100 g* *Zielony groszek: 75 kcal/100 g*	Pierś z indyka z grilla skropiona oliwą z oliwek podana ze szparagami i zielonym groszkiem *Pierś z indyka: 84 kcal/100 g* *Szparagi zielone: 18 kcal/100 g* *Zielony groszek: 75 kcal/100 g*

PODWIECZOREK **200 kcal** **15.00 – 16.00**	Sałatka tabule z prosa, zielonej pietruszki, papryki, cebuli z oliwą z oliwek *Proso: 378 kcal/100 g* *Zielona pietruszka: 41 kcal/100 g* *Cebula: 30 kcal/100 g* *Czerwona papryka: 28 kcal/100 g*	Sałatka tabule z prosa, zielonej pietruszki, kalarepy, czerwonej cebuli z oliwą z oliwek *Proso: 378 kcal/100 g* *Zielona pietruszka: 41 kcal/100 g* *Cebula czerwona: 30 kcal/100 g* *Kalarepa: 29 kcal/100 g*	Sałatka tabule z prosa, zielonej pietruszki, papryki, cebuli z oliwą z oliwek *Proso: 378 kcal/100 g* *Zielona pietruszka: 41 kcal/100 g* *Cebula: 30 kcal/100 g* *Czerwona papryka: 28 kcal/100 g*	Sałatka tabule z prosa, zielonej pietruszki, pomidorów, kalarepy, cebuli z oliwą z oliwek *Proso: 378 kcal/100 g* *Zielona pietruszka: 41 kcal/100 g* *Cebula czerwona: 30 kcal/100 g* *Pomidor: 15 kcal/100 g* *Kalarepa: 29 kcal/100 g*
KOLACJA **250 kcal** **18.00**	Sałatka z brokułów z pomidorem, tofu i sosem vinaigrette *Brokuły: 24 kcal/100 g* *Pomidor: 15 kcal/100 g* *Ser tofu: 72 kcal/100 g*	Sałatka z brokułów z czerwoną cykorią, tofu i sosem vinaigrette *Brokuły: 24 kcal/100 g* *Czerwona cykoria: 21 kcal/100 g* *Ser tofu: 72 kcal/100 g*	Sałatka z brokułów z czerwoną cykorią, parmezanem i sosem vinaigrette *Brokuły: 24 kcal/100 g* *Czerwona cykoria: 21 kcal/100 g* *Wiórki parmezanu: 450 kcal/100 g*	Sałatka z brokułów z czerwoną cykorią, tofu i sosem vinaigrette *Brokuły: 24 kcal/100 g* *Czerwona cykoria: 21 kcal/100 g* *Ser tofu: 72 kcal/100 g*
KALORIE **1500**	Pamiętaj o wypiciu w ciągu dnia 2,5 l wody niegazowanej	Pamiętaj o wypiciu w ciągu dnia 2,5 l wody niegazowanej	Pamiętaj o wypiciu w ciągu dnia 2,5 l wody niegazowanej	Pamiętaj o wypiciu w ciągu dnia 2,5 l wody niegazowanej

7. Dzień

Jadłospis dziesięciodniowy	Grupa krwi 0	Grupa krwi A	Grupa krwi B	Grupa krwi AB
<u>ŚNIADANIE</u> **400 kcal** **(po przebudzeniu) 7.00 – 8.00**	Szklanka letniej, przegotowanej wody z sokiem z ½ małej cytryny Granola (domowe musli z płatków orkiszowych z otrębami i syropem klonowym, z dodatkiem suszonej żurawiny) z mlekiem sojowym *Granola z owocami: 370 kcal/100 g* *Mleko sojowe: 41 kcal/100 g*	Szklanka letniej, przegotowanej wody z sokiem z ½ małej cytryny Granola (domowe musli z płatków orkiszowych z otrębami i syropem klonowym, z dodatkiem suszonej żurawiny) z mlekiem sojowym *Granola z owocami: 370 kcal/100 g* *Mleko sojowe: 41 kcal/100 g*	Szklanka letniej, przegotowanej wody z sokiem z ½ małej cytryny Granola (domowe musli z płatków orkiszowych z otrębami i syropem klonowym, z dodatkiem suszonej żurawiny) z jogurtem *Granola z owocami: 370 kcal/100 g* *Jogurt naturalny 2%: 60 kcal/100 g*	Szklanka letniej, przegotowanej wody z sokiem z ½ małej cytryny Granola (domowe musli z płatków orkiszowych z otrębami i syropem klonowym, z dodatkiem suszonej żurawiny) z mlekiem sojowym *Granola z owocami: 370 kcal/100 g* *Mleko sojowe: 41 kcal/100 g*
<u>II ŚNIADANIE</u> **250 kcal** **nie później niż 11.00**	Arbuz *Arbuz: 36 kcal/100 g*	Arbuz Garść migdałów *Arbuz: 36 kcal/100 g* *Migdały: 572 kcal/100 g*	Arbuz Garść migdałów *Arbuz: 36 kcal/100 g* *Migdały: 572 kcal/100 g*	Arbuz Garść migdałów *Arbuz: 36 kcal/100 g* *Migdały: 572 kcal/100 g*

OBIAD **450 kcal** **około 13.00**	Miks sałat zielonych z winogronami, pestkami dyni, kawałkami łososia pieczonego, sos vinaigrette, zielona pietruszka *Sałata zielona: 14 kcal/100 g* *Winogrona: 69 kcal/100 g* *Pestki dyni: 556 kcal/100 g* *Łosoś pieczony: 201 kcal/100 g* *Zielona pietruszka: 41 kcal/100 g*	Miks sałat zielonych z winogronami, pestkami dyni, kawałkami łososia pieczonego, sos vinaigrette, zielona pietruszka *Sałata zielona: 14 kcal/100 g* *Winogrona: 69 kcal/100 g* *Pestki dyni: 556 kcal/100 g* *Łosoś pieczony: 201 kcal/100 g* *Zielona pietruszka: 41 kcal/100 g*	Miks sałat zielonych z winogronami, kawałkami łososia pieczonego, sos vinaigrette, zielona pietruszka *Sałata zielona: 14 kcal/100 g* *Winogrona: 69 kcal/100 g* *Łosoś pieczony: 201 kcal/100 g* *Zielona pietruszka: 41 kcal/100 g*	Miks sałat zielonych z winogronami, kawałkami łososia pieczonego, sos vinaigrette, zielona pietruszka *Sałata zielona: 14 kcal/100 g* *Winogrona: 69 kcal/100 g* *Łosoś pieczony: 201 kcal/100 g* *Zielona pietruszka: 41 kcal/100 g*
PODWIECZOREK **200 kcal** **15.00 – 16.00**	Surówka z selera z rodzynkami *Seler: 21 kcal/100 g* *Rodzynki: 277 kcal/100 g*	Surówka z selera z rodzynkami i orzechami włoskimi *Seler: 21 kcal/100 g* *Orzechy włoskie: 645 kcal/100 g* *Rodzynki: 277 kcal/100 g*	Surówka z selera z rodzynkami i orzechami włoskimi *Seler: 21 kcal/100 g* *Orzechy włoskie: 645 kcal/100 g* *Rodzynki: 277 kcal/100 g*	Surówka z selera z rodzynkami i orzechami włoskimi *Seler: 21 kcal/100 g* *Orzechy włoskie: 645 kcal/100 g* *Rodzynki: 277 kcal/100 g*
KOLACJA **250 kcal** **18.00**	Halibut z grilla z cytryną Sałatka z pomidorów z cebulą *Halibut: 98 kcal/100 g* *Pomidor: 15 kcal/100 g* *Cebula: 30 kcal/100 g*	Makrela pieczona Mizeria z zielonych ogórków z jogurtem *Makrela tuszka: 180 kcal/100 g* *Ogórki: 13 kcal/100 g* *Jogurt naturalny 2%: 60 kcal/100 g*	Halibut z grilla z cytryną Mizeria z zielonych ogórków z jogurtem *Halibut: 98 kcal/100 g* *Ogórki: 13 kcal/100 g* *Jogurt naturalny 2%: 60 kcal/100 g*	Makrela pieczona Mizeria z zielonych ogórków z jogurtem *Makrela tuszka: 180 kcal/100 g* *Ogórki: 13 kcal/100 g* *Jogurt naturalny 2%: 60 kcal/100 g*
KALORIE **1500**	Pamiętaj o wypiciu w ciągu dnia 2,5 l wody niegazowanej	Pamiętaj o wypiciu w ciągu dnia 2,5 l wody niegazowanej	Pamiętaj o wypiciu w ciągu dnia 2,5 l wody niegazowanej	Pamiętaj o wypiciu w ciągu dnia 2,5 l wody niegazowanej

8. Dzień

Jadłospis dziesięciodniowy	Grupa krwi 0	Grupa krwi A	Grupa krwi B	Grupa krwi AB
ŚNIADANIE **400 kcal** **(po przebudzeniu)** **7.00 – 8.00**	Szklanka letniej, przegotowanej wody z sokiem z ½ małej cytryny Omlet z 2 jaj z młodymi liśćmi szpinaku, serem feta i papryką *Szpinak: 16 kcal/100 g* *Jajko: 139 kcal/100 g* *Feta: 215 kcal/100 g* *Czerwona papryka: 28 kcal/100 g*	Szklanka letniej, przegotowanej wody z sokiem z ½ małej cytryny Omlet z 2 jaj z młodymi liśćmi szpinaku, serem feta, cebulą czerwoną *Szpinak: 16 kcal/100 g* *Jajko: 139 kcal/100 g* *Feta: 215 kcal/100 g* *Cebula czerwona: 30 kcal/100 g*	Szklanka letniej, przegotowanej wody z sokiem z ½ małej cytryny Omlet z 2 jaj z młodymi liśćmi szpinaku, serem feta i papryką *Szpinak: 16 kcal/100 g* *Jajko: 139 kcal/100 g* *Feta: 215 kcal/100 g* *Czerwona papryka: 28 kcal/100 g*	Szklanka letniej, przegotowanej wody z sokiem z ½ małej cytryny Omlet z 2 jaj z młodymi liśćmi szpinaku, serem feta i cebulą czerwoną *Szpinak: 16 kcal/100 g* *Jajko: 139 kcal/100 g* *Feta: 215 kcal/100 g* *Cebula czerwona: 30 kcal/100 g*
II ŚNIADANIE **250 kcal** **nie później niż 11.00**	Suszone morele *Suszone morele: 280 kcal/100 g*	Suszone morele *Suszone morele: 280 kcal/100 g*	Suszone morele *Suszone morele: 280 kcal/100 g*	Suszone morele *Suszone morele: 280 kcal/100 g*

OBIAD **450 kcal** **około 13.00**	Dorsz duszony z warzywami (seler naciowy, marchewka, groszek zielony, sałata zielona z rzodkiewką i oliwą z oliwek) *Dorsz: 78 kcal/100 g* *Seler naciowy: 13 kcal/100 g* *Marchew: 27 kcal/100 g* *Groszek zielony: 75 kcal/100 g* *Sałata zielona: 14 kcal/100 g* *Rzodkiewka: 14 kcal/100 g*	Dorsz duszony z warzywami (seler naciowy, marchewka, groszek zielony, sałata zielona z rzodkiewką i oliwą z oliwek) *Dorsz: 78 kcal/100 g* *Seler naciowy: 13 kcal/100 g* *Marchew: 27 kcal/100 g* *Groszek zielony: 75 kcal/100 g* *Sałata zielona: 14 kcal/100 g* *Rzodkiewka: 14 kcal/100 g*	Dorsz duszony z warzywami (seler naciowy, marchewka, groszek zielony, sałata zielona z ogórkiem, szczypiorkiem i oliwą z oliwek) *Dorsz: 78 kcal/100 g* *Seler naciowy: 13 kcal/100 g* *Marchew: 27 kcal/100 g* *Groszek zielony: 75 kcal/100 g* *Sałata zielona: 14 kcal/100 g* *Ogórek: 13 kcal/100 g* *Szczypiorek: 27 kcal/100 g*	Dorsz duszony z warzywami (seler naciowy, marchewka, groszek zielony, sałata zielona z ogórkiem, szczypiorkiem i oliwą z oliwek) *Dorsz: 78 kcal/100 g* *Seler naciowy: 13 kcal/100 g* *Marchew: 27 kcal/100 g* *Groszek zielony: 75 kcal/100 g* *Sałata zielona: 14 kcal/100 g* *Ogórek: 13 kcal/100 g* *Szczypiorek: 27 kcal/100 g*
PODWIECZOREK **200 kcal** **15.00 – 16.00**	Sałatka z suszonych fig, sera tofu z syropem klonowym *Suszone figi: 290 kcal/100 g* *Serek tofu: 72 kcal/100 g* *Syrop klonowy: 264 kcal/100 g*	Serek ricotta z suszonymi figami i syropem klonowym *Serek ricotta: 156 kcal/100 g* *Suszone figi: 290 kcal/100 g* *Syrop klonowy: 264 kcal/100 g*	Serek ricotta z suszonymi figami i syropem klonowym *Serek ricotta: 156 kcal/100 g* *Suszone figi: 290 kcal/100 g* *Syrop klonowy: 264 kcal/100 g*	Serek ricotta z suszonymi figami i syropem klonowym *Serek ricotta: 156 kcal/100 g* *Suszone figi: 290 kcal/100 g* *Syrop klonowy: 264 kcal/100 g*
KOLACJA **250 kcal** **18.00**	Cukinie faszerowane mięsem z indyka i warzywami, zapieczone pod mozzarellą *Cukinia: 15 kcal/100 g* *Filet z indyka: 84 kcal/100 g* *Mozzarella: 245 kcal/100 g*	Cukinie faszerowane mielonym mięsem z indyka i warzywami, zapieczone pod mozzarellą *Cukinia: 15 kcal/100 g* *Filet z indyka: 84 kcal/100 g* *Mozzarella: 245 kcal/100 g*	Cukinie faszerowane mielonym mięsem z indyka i warzywami, zapieczone pod mozzarellą *Cukinia: 15 kcal/100 g* *Filet z indyka: 84 kcal/100 g* *Mozzarella: 245 kcal/100 g*	Cukinie faszerowane mielonym mięsem z indyka i warzywami, zapieczone pod mozzarellą *Cukinia: 15 kcal/100 g* *Filet z indyka: 84 kcal/100 g* *Mozzarella: 245 kcal/100 g*
KALORIE **1500**	Pamiętaj o wypiciu w ciągu dnia 2,5 l wody niegazowanej	Pamiętaj o wypiciu w ciągu dnia 2,5 l wody niegazowanej	Pamiętaj o wypiciu w ciągu dnia 2,5 l wody niegazowanej	Pamiętaj o wypiciu w ciągu dnia 2,5 l wody niegazowanej

9. Dzień

Jadłospis dziesięciodniowy	Grupa krwi 0	Grupa krwi A	Grupa krwi B	Grupa krwi AB
<u>**ŚNIADANIE**</u> **400 kcal** **(po przebudzeniu) 7.00 – 8.00**	Szklanka letniej, przegotowanej wody z sokiem z ½ małej cytryny Kasza jaglana z suszonym ananasem i mlekiem sojowym *Kasza jaglana: 378 kcal/100 g* *Suszony ananas: 332 kcal/100 g* *Mleko sojowe: 41 kcal/100 g*	Szklanka letniej, przegotowanej wody z sokiem z ½ małej cytryny Kasza jaglana z suszonym ananasem i mlekiem sojowym *Kasza jaglana: 378 kcal/100 g* *Suszony ananas: 332 kcal/100 g* *Mleko sojowe: 41 kcal/100 g*	Szklanka letniej, przegotowanej wody z sokiem z ½ małej cytryny Kasza jaglana z suszonym ananasem i jogurtem *Kasza jaglana: 378 kcal/100 g* *Suszony ananas: 332 kcal/100 g* *Jogurt naturalny 2%: 60 kcal/100 g*	Szklanka letniej, przegotowanej wody z sokiem z ½ małej cytryny Kasza jaglana z suszonym ananasem i jogurtem *Kasza jaglana: 378 kcal/100 g* *Suszony ananas: 332 kcal/100 g* *Jogurt naturalny 2%: 60 kcal/100 g*
<u>**II ŚNIADANIE**</u> **250 kcal** **nie później niż 11.00**	2 grzanki z chleba żytniego z zieloną sałatą, jajkiem i pomidorem *Chleb żytni: 191 kcal/100 g* *Zielona sałata: 14 kcal/100 g* *Jajko gotowane: 139 kcal/100 g* *Pomidor: 15 kcal/100 g*	2 grzanki z chleba żytniego z zieloną sałatą, jajkiem, rzodkiewką i ogórkiem *Chleb żytni: 191 kcal/100 g* *Zielona sałata: 14 kcal/100 g* *Jajko gotowane: 139 kcal/100 g* *Rzodkiewka: 14 kcal/100 g* *Ogórek: 13 kcal/100 g*	2 grzanki z chleba orkiszowego z zieloną sałatą, jajkiem, papryką czerwoną i ogórkiem *Chleb orkiszowy: 240 kcal/100 g* *Zielona sałata: 14 kcal/100 g* *Jajko gotowane: 139 kcal/100 g* *Papryka czerwona: 28 kcal/100 g* *Ogórek: 13 kcal/100 g*	2 grzanki z chleba żytniego z zieloną sałatą, jajkiem, pomidorem *Chleb żytni: 191 kcal/100 g* *Zielona sałata: 14 kcal/100 g* *Jajko gotowane: 139 kcal/100 g* *Pomidor: 15 kcal/100 g*

OBIAD **450 kcal** **około 13.00**	Cielęcina cacciatore z warzywami (czosnek, cebula, pomidory, papryka czerwona, zielone oliwki) *Cielęcina: 105 kcal/100 g* *Czosnek: 150 kcal/100 g* *Cebula: 30 kcal/100 g* *Pomidor: 15 kcal/100 g* *Papryka czerwona: 28 kcal/100 g* *Oliwki zielone: 169 kcal/100 g*	Kurczak cacciatore z warzywami (czosnek, cebula, marchewka, cukinia, brokuły) *Kurczak filet: 99 kcal/100 g* *Marchew: 27 kcal/100 g* *Cukinia: 15 kcal/100 g* *Brokuły: 24 kcal/100 g* *Czosnek: 150 kcal/100 g* *Cebula: 30 kcal/100 g*	Cielęcina cacciatore z warzywami (czosnek, cebula, marchewka, cukinia, brokuły) *Cielęcina: 105 kcal/100 g* *Marchew: 27 kcal/100 g* *Cukinia: 15 kcal/100 g* *Brokuły: 24 kcal/100 g* *Czosnek: 150 kcal/100 g* *Cebula: 30 kal/100 g*	Królik cacciatore z warzywami (czosnek, cebula, pomidory, papryka czerwona, zielone oliwki) *Królik: 136 kcal/100 g* *Czosnek: 150 kcal/100 g* *Cebula: 30 kcal/100 g* *Pomidor: 15 kcal/100 g* *Papryka czerwona: 28 kcal/100 g* *Oliwki zielone: 169 kcal/100 g*
PODWIECZOREK **200 kcal** **15.00 – 16.00**	Jabłko pieczone z konfiturą wiśniową *Jabłko: 46 kcal/100 g* *Konfitura wiśniowa: 139 kcal/100 g*	Jabłko pieczone z konfiturą wiśniową *Jabłko: 46 kcal/100 g* *Konfitura wiśniowa: 139 kcal/100 g*	Jabłko pieczone z konfiturą wiśniową *Jabłko: 46 kcal/100 g* *Konfitura wiśniowa: 139 kcal/100 g*	Jabłko pieczone z konfiturą wiśniową *Jabłko: 46 kcal/100 g* *Konfitura wiśniowa: 139 kcal/100 g*
KOLACJA **250 kcal** **18.00**	Filet z dorsza z cytryną Szpinak z jajkiem *Dorsz: 87 kcal/100 g* *Szpinak: 16 kcal/100 g* *Jajko: 139 kcal/100 g* *Czosnek: 150 kcal/100 g*	Filet z dorsza z cytryną Szpinak z jajkiem *Dorsz: 87 kcal/100 g* *Szpinak: 16 kcal/100 g* *Jajko: 139 kcal/100 g* *Czosnek: 150 kcal/100 g*	Filet z dorsza z cytryną Szpinak z jajkiem *Dorsz: 87 kcal/100 g* *Szpinak: 16 kcal/100 g* *Jajko: 139 kcal/100 g* *Czosnek: 150 kcal/100 g*	Filet z dorsza z cytryną Szpinak z jajkiem *Dorsz: 87 kcal/100 g* *Szpinak: 16 kcal/100 g* *Jajko: 139 kcal/100 g* *Czosnek: 150 kcal/100 g*
KALORIE **1500**	Pamiętaj o wypiciu w ciągu dnia 2,5 l wody niegazowanej	Pamiętaj o wypiciu w ciągu dnia 2,5 l wody niegazowanej	Pamiętaj o wypiciu w ciągu dnia 2,5 l wody niegazowanej	Pamiętaj o wypiciu w ciągu dnia 2,5 l wody niegazowanej

10. Dzień

Jadłospis dziesięciodniowy	Grupa krwi 0	Grupa krwi A	Grupa krwi B	Grupa krwi AB
ŚNIADANIE **400 kcal** **(po przebudzeniu)** **7.00 – 8.00**	Szklanka letniej, przegotowanej wody z sokiem z ½ małej cytryny Musli z płatków orkiszowych z winogronami, morelami i mlekiem sojowym *Musli z płatków orkiszowych: 358 kcal/100 g* *Winogrona: 69 kcal/100 g* *Morele suszone: 288 kcal/100 g* *Mleko sojowe: 41 kcal/100 g*	Szklanka letniej, przegotowanej wody z sokiem z ½ małej cytryny Musli z płatków orkiszowych z winogronami, morelami i mlekiem sojowym *Musli z płatków orkiszowych: 358 kcal/100 g* *Winogrona: 69 kcal/100 g* *Morele suszone: 288 kcal/100 g* *Mleko sojowe: 41 kcal/100 g*	Szklanka letniej, przegotowanej wody z sokiem z ½ małej cytryny Musli z płatków orkiszowych z winogronami, morelami i jogurtem *Musli z płatków orkiszowych: 358 kcal/100 g* *Winogrona: 69 kcal/100 g* *Morele suszone: 288 kcal/100 g* *Jogurt naturalny 2%: 60 kcal/100 g*	Szklanka letniej, przegotowanej wody z sokiem z ½ małej cytryny Musli z płatków orkiszowych z winogronami, morelami i mlekiem sojowym *Musli z płatków orkiszowych: 358 kcal/100 g* *Winogrona: 69 kcal/100 g* *Morele suszone: 288 kcal/100 g* *Mleko sojowe: 41 kcal/100 g*
II ŚNIADANIE **250 kcal** **nie później niż 11.00**	Kanapka z żytniego chleba Wasa z pastą z sardynek, zielona sałata *Wasa żytnia: 350 kcal/100 g* *Ser twarogowy chudy: 86 kcal/100 g* *Sardynki w oleju: 115 kcal/100 g* *Zielona sałata: 14 kcal/100 g*	Kanapka z żytniego chleba Wasa z pastą z ricotty i sardynek, zielona sałata *Wasa żytnia: 350 kcal/100 g* *Ser ricotta: 86 kcal/100 g* *Sardynki w oleju: 115 kcal/100 g* *Zielona sałata: 14 kcal/100 g*	Kanapka z chlebka orkiszowego z zieloną sałatą i pastą z ricotty i sardynek *Chleb orkiszowy 240 kcal/100 g* *Ser ricotta 86 kcal/100 g* *Sardynki w oleju 115 kcal/100 g* *Zielona sałata 14 kcal/100 g*	Kanapka z żytniego chleba Wasa z pastą z ricotty i sardynek, zielona sałata *Wasa żytnia: 350 kcal/100 g* *Ser ricotta: 86 kcal/100 g* *Sardynki w oleju: 115 kcal/100 g* *Zielona sałata: 14 kcal/100 g*

OBIAD **450 kcal** **około 13.00**	Gulasz z okonia z warzywami (marchewka, seler naciowy, groszek zielony, papryka czerwona) *Filet z okonia: 91 kcal/100 g* *Marchew: 27 kcal/100 g* *Seler naciowy: 13 kcal/100 g* *Groszek zielony: 75 kcal/100 g* *Papryka czerwona: 28 kcal/100 g*	Gulasz z okonia z warzywami (marchewka, seler naciowy, groszek zielony) *Filet z okonia: 91 kcal/100 g* *Marchew: 27 kcal/100 g* *Seler naciowy: 13 kcal/100 g* *Groszek zielony: 75 kcal/100 g*	Gulasz z okonia z warzywami (marchewka, seler naciowy, groszek zielony, papryka czerwona) *Filet z okonia: 91 kcal/100 g* *Marchew: 27 kcal/100 g* *Seler naciowy: 13 kcal/100 g* *Groszek zielony: 75 kcal/100 g* *Papryka czerwona: 28 kcal/100 g*	Gulasz z okonia z warzywami (marchewka, seler naciowy, groszek zielony) *Filet z okonia: 91 kcal/100 g* *Marchew: 27 kcal/100 g* *Seler naciowy: 13 kcal/100 g* *Groszek zielony: 75 kcal/100 g*
PODWIECZOREK **200 kcal** **15.00 – 16.00**	Gotowane różyczki brokułów skropione sosem vinaigrette *Gotowane brokuły: 24 kcal/100 g*	Gotowane różyczki brokułów skropione sosem vinaigrette *Gotowane brokuły: 24 kcal/100 g*	Gotowane różyczki brokułów skropione sosem vinaigrette *Gotowane brokuły: 24 kcal/100 g*	Gotowane różyczki brokułów skropione sosem vinaigrette *Gotowane brokuły: 24 kcal/100 g*
KOLACJA **250 kcal** **18.00**	Sałatka nicejska z sałaty lodowej, fasolki szparagowej z tuńczykiem, jajkiem, cebulą i sosem vinaigrette *Sałata lodowa: 14 kcal/100 g* *Fasolka szparagowa: 28 kcal/100 g* *Tuńczyk w sosie własnym: 100 kcal/100 g* *Jajko gotowane: 139 kcal/100 g* *Cebula: 30 kcal/100 g*	Sałatka nicejska z sałaty lodowej, fasolki szparagowej z tuńczykiem, jajkiem, cebulą i sosem vinaigrette *Sałata lodowa: 14 kcal/100 g* *Fasolka szparagowa: 28 kcal/100 g* *Tuńczyk w sosie własnym: 100 kcal/100 g* *Jajko gotowane: 139 kcal/100 g* *Cebula: 30 kcal/100 g*	Sałatka nicejska z sałaty lodowej, fasolki szparagowej z tuńczykiem, jajkiem, cebulą i sosem vinaigrette *Sałata lodowa: 14 kcal/100 g* *Fasolka szparagowa: 28 kcal/100 g* *Tuńczyk w sosie własnym: 100 kcal/100 g* *Jajko gotowane: 139 kcal/100 g* *Cebula: 30 kcal/100 g*	Sałatka nicejska z sałaty lodowej, fasolki szparagowej z tuńczykiem, jajkiem, cebulą i sosem vinaigrette *Sałata lodowa: 14 kcal/100 g* *Fasolka szparagowa: 28 kcal/100 g* *Tuńczyk w sosie własnym: 100 kcal/100 g* *Jajko gotowane: 139 kcal/100 g* *Cebula: 30 kcal/100 g*
KALORIE **1500**	Pamiętaj o wypiciu w ciągu dnia 2,5 l wody niegazowanej	Pamiętaj o wypiciu w ciągu dnia 2,5 l wody niegazowanej	Pamiętaj o wypiciu w ciągu dnia 2,5 l wody niegazowanej	Pamiętaj o wypiciu w ciągu dnia 2,5 l wody niegazowanej

12

Idziemy na zakupy

Przed przystąpieniem do naszego 10-dniowego programu sprawdź, czy masz w kuchni niezbędne sprzęty, i zaopatrz się w potrzebne produkty spożywcze.

Przydadzą się:

piekarnik z termoobiegiem, blender lub malakser, patelnia grillowa ze stali nierdzewnej z pokrywą, naczynie do gotowania ryb lub podłużny rondel, toster, nóż do obierania ananasa, rękaw papierowy do pieczenia, rondel lub głęboka patelnia, płytka patelnia, termometr z sondą (dla wymagających), ręczniki papierowe, dobrej jakości nóż, deski do krojenia, miseczki różnej wielkości, tarka do warzyw.

Produkty spożywcze

Grupa krwi 0

Arbuz, banany, brokuły, brzoskwinie, buraki, cebula czerwona, cebula biała, chleb orkiszowy, chleb żytni, chleb żytni Wasa, cukinia, cytryna, czosnek, fasolka szparagowa, filet z dorsza, filet z indyka, filet z łososia, filet z okonia, grejpfrut, zielony groszek świeży lub mrożony, gruszki, halibut, imbir, jabłka, jajka, kalarepa, kapusta pekińska, kasza jaglana, konfitura wiśniowa, laska wanilii, makrela, mała puszka sardynek w oleju, mała puszka tuńczyka w sosie własnym, marchewka, mleko owsiane, mleko sojowe, mozzarella, musli z płatków orkiszowych, oliwa z oliwek, oliwki zielone, orzechy włoskie, otręby orkiszowe, papryka czerwona, pestki dyni, pietruszka zielona, polędwica wołowa, pomidor, proso, pstrąg, rodzynki, rukola, rzodkiewki, sałata lodowa, sałata rzymska, sałata zielona (masłowa), seler korzeniowy i naciowy, ser feta, ser tofu, ser twarogowy chudy, składniki do sosu vinaigrette (oliwa z oliwek, miód, woda mineralna, bazylia, kolendra, rukola, sól morska), skórka otarta z cytryny, suszona żurawina, suszone figi, suszone morele, suszone śliwki, suszony ananas, syrop klonowy, szczypiorek, szparagi białe, szparagi zielone, świeży ananas, świeży szpinak, wino czerwone, winogrona.

Grupa krwi A

Arbuz, boczniaki, brokuły, brzoskwinie, buraki, cebula czerwona, chleb orkiszowy, chleb żytni Wasa, chleb żytni, cukinia, cykoria czerwona, cytryna, czosnek, fasolka szparagowa, filet z dorsza, filet z indyka, filet z łososia, filet z okonia, grejpfrut, groszek zielony, gruszka, imbir, jabłka, jajka, jogurt naturalny, kalafior, kalarepa, kasza jaglana, kiwi, konfitura wiśniowa, kurczak (filet), laska wanilii, makrela, mała puszka sardynek w oleju, mała puszka tuńczyka w sosie własnym, marchewka, migdały, mleko owsiane, mleko sojowe, mozzarella, musli z płatków orkiszowych, ogórek zielony, oliwa z oliwek, orzechy laskowe, orzechy włoskie, otręby orkiszowe, pestki dyni, pietruszka zielona, proso, pstrąg, rodzynki, rukola, rzodkiewki, sałata lodowa, sałata rzymska, sałata zielona, seler korzeniowy i naciowy, ser feta, ser ricotta, ser tofu, skórka otarta z cytryny, składniki do sosu vinaigrette (oliwa z oliwek, miód, woda mineralna, bazylia, kolendra, rukola, sól morska), suszona żurawina, suszone figi, suszone morele, suszone śliwki, suszony ananas, syrop klonowy, szczypiorek, szparagi zielone, śliwki, świeży ananas, świeży szpinak, wino czerwone, winogrona.

Grupa krwi B

Arbuz, banan, brokuły, brzoskwinie, buraki, cebula, chleb orkiszowy, cukinia, cytryna, czerwona cebula, czerwona cykoria, czerwona papryka, czosnek, fasolka szparagowa, filet z dorsza, filet z indyka, filet z łososia, filet z okonia, grejpfrut, groszek zielony, gruszki, halibut, imbir, jabłka, jajka, jogurt naturalny, kalafior, kalarepa, kapusta pekińska, kasza jaglana, kiwi, konfitura wiśniowa, koperek, kuleczki mozzarelli sałatkowej, laska wanilii, makrela, mała puszka sardynek, mała puszka tuńczyka w sosie własnym, marchewka, marchewki paryskie (mini), mielone mięso z indyka, migdały, mleko owsiane (najlepiej ze sklepu ze zdrową żywnością), musli orkiszowe, musli z płatków orkiszowych (najlepiej ze sklepu ze zdrową żywnością), ogórek zielony, orzechy włoskie, otręby orkiszowe, papryka czerwona, parmezan, pietruszka zielona, płatki orkiszowe, proso, rodzynki, rozmaryn, rukola, sałata lodowa, sałata rzymska, sałata zielona, seler korzeniowy i naciowy, ser feta, serek ricotta, skórka otarta z cytryny, składniki do sosu vinaigrette (oliwa z oliwek, miód, woda mineralna, bazylia, kolendra, rukola, kapary, sól morska), stek z polędwicy wołowej, stek z tuńczyka, suszona żurawina, suszone figi, suszone morele, suszone śliwki, suszony ananas, syrop klonowy, szczypiorek, szparagi zielone, świeży ananas, świeży szpinak, twarożek, wino czerwone, winogrona.

Grupa krwi AB

Arbuz, boczniaki, brokuły, brzoskwinie, buraki, chleb orkiszowy, chleb żytni Wasa, chleb żytni, cukinia, cykoria, cytryna, czerwona cebula, czosnek, fasolka szparagowa, filet z dorsza, filet z indyka, filet z łososia, filet z okonia, filet z tuńczyka, grejpfrut, groszek zielony, gruszka, imbir, jabłka, jajka, jogurt naturalny, kalafior, kalarepa, kasza jaglana, kiwi, konfitura wiśniowa, kuleczki mozzarelli sałatkowej, makrela, mała puszka sardynek w oleju, mała puszka tuńczyka w sosie własnym, marchewka, marchewki paryskie (mini), migdały, mleko owsiane, mleko sojowe, musli orkiszowe, oliwki zielone, ogórek zielony, oliwa z oliwek, orzechy włoskie, otręby orkiszowe, pietruszka zielona, pomidor, proso, rukola, sałata lodowa, sałata rzymska, sałata zielona, seler korzeniowy i naciowy, ser feta, serek ricotta, ser tofu, składniki do sosu vinaigrette (oliwa z oliwek, cytryna, miód, woda mineralna, świeża bazylia, kolendra, rukola, sól morska), skórka otarta z cytryny, suszona żurawina, suszone figi, suszone morele, suszone śliwki, suszony ananas, syrop klonowy, szczypiorek, szparagi zielone, śliwki, świeży ananas, świeży szpinak, wino czerwone, winogrona.

13

Receptury
i sposób wykonania

Musli z płatków orkiszowych

DLA GRUPY 0, A

Sposób wykonania:

O tym śniadaniu pomyśl dzień wcześniej, wieczorem.

Delikatnie zrumień w piekarniku płatki orkiszowe w temperaturze około 180 stopni przez 15 minut. Odłóż do wystudzenia.

Rano pokrój w cienkie paseczki suszone morele i suszone śliwki. Owoce wsyp do miseczki i wymieszaj z płatkami.

Zalej zimnym mlekiem sojowym.

Smacznego!

Wartość kaloryczna śniadania — około 400 kcal

Składniki:

80 g płatków orkiszowych

25 g suszonych moreli

25 g suszonych śliwek

150 ml mleka sojowego

Musli z płatków orkiszowych

DLA GRUPY B, AB

Sposób wykonania:

O tym śniadaniu pomyśl dzień wcześniej, wieczorem.

Delikatnie zrumień w piekarniku płatki orkiszowe w temperaturze około 180 stopni przez 15 minut. Odłóż do wystudzenia.

Rano pokrój w cienkie paseczki suszone morele i suszone śliwki. Owoce wsyp do miseczki i wymieszaj z płatkami.

Zalej jogurtem naturalnym.

Wartość kaloryczna śniadania — około 400 kcal

Składniki:

80 g płatków orkiszowych

25 g suszonych moreli

25 g suszonych śliwek

100 ml jogurtu naturalnego

Gotowana pierś z indyka z sałatką szpinakową

DLA GRUPY 0, A, B, AB

Składniki:

120 g fileta z indyka

½ selera

1 marchewka do wywaru

ćwiartka cytryny, zielona pietruszka

Sałatka:

200 g świeżego szpinaku

100 g świeżej gruszki

20 g pestek z dyni (tylko dla 0 i A)

sól morska

Sposób wykonania:

Umyj i obierz seler i marchewkę. Pokrój na cząstki.

Filet z indyka ugotuj w niewielkiej ilości wody z dodatkiem warzyw.

Gruszki umyj, obierz ze skórki, usuń gniazda nasienne i pokrój w paseczki. Umyj liście szpinaku i wymieszaj z plastrami gruszki i pestkami dyni (dynia tylko dla grupy 0 i A). Dodaj 2 łyżki sosu vinaigrette, całość wymieszaj.

Sałatkę wyłóż na talerz. Filet z indyka polej kilkoma kroplami oliwy z oliwek, udekoruj ćwiartką cytryny i gałązką zielonej pietruszki.

Smacznego!

Wartość kaloryczna — sałatka — około 350 kcal, filet z indyka — około 100 kcal

Sos vinaigrette

DLA GRUPY 0, A, AB

Sposób wykonania:

W mikserze zmiksuj oliwę z oliwek z sokiem z cytryny, miodem, odrobiną soli, wodą mineralną, bazylią i rukolą.

Miksuj tak długo aż powstanie gęsta emulsja.

Sos można trzymać w lodówce przez 3 – 4 dni.

Używaj do sałat i warzyw.

Smacznego!

Wartość kaloryczna 1 łyżki — około 40 kcal

Składniki na 8 – 10 porcji:

100 g oliwy z oliwek

sok z jednej cytryny

1 łyżeczka miodu

½ szklanki wody mineralnej

świeże listki bazylii

świeże listki kolendry

garść rukoli

sól morska

Sos vinaigrette

DLA GRUPY B

Sposób wykonania:

W mikserze zmiksuj oliwę z oliwek z sokiem z cytryny, miodem, odrobiną soli, wodą mineralną, bazylią i rukolą. Osoba z grupą krwi B może dodać kapary.

Miksuj tak długo aż powstanie gęsta emulsja.

Sos można trzymać w lodówce przez 3 – 4 dni.

Używaj do sałat i warzyw.

Smacznego!

Wartość kaloryczna 1 łyżki — 40 kcal

Składniki na 8 – 10 porcji:

100 g oliwy z oliwek

sok z jednej cytryny

1 łyżeczka miodu

½ szklanki wody mineralnej

świeże listki bazylii

świeże listki kolendry

garść rukoli

kapary

sól morska

Sałatka z gotowanych buraczków

DLA GRUPY 0, A, B, AB

Sposób wykonania:

Dzień wcześniej, wieczorem, ugotuj buraczki ze skórką.

Po ugotowaniu wystudź, zostaw do następnego dnia w lodówce.

Buraczki obierz i zetrzyj na tarce na grube wiórki.

Sałatę rzymską umyj i porwij palcami na mniejsze cząstki.

Cebulę pokrój w plasterki.

Na sałacie rzymskiej układaj wiórki buraczków i plastry cebuli, całość dopraw oliwą z oliwek i solą morską.

Smacznego!

Wartość kaloryczna — około 250 kcal

Składniki:

200 g czerwonych buraczków

150 g sałaty rzymskiej

50 g czerwonej cebuli

3 łyżki tymiankowej oliwy z oliwek

sól morska

Łosoś pieczony podany z duszonymi warzywami

DLA GRUPY 0, A, B, AB

Składniki:

120 g świeżego łososia (filet ze skórą)

koperek

ćwiartka cytryny

120 g fasolki szparagowej

100 g selera

100 g cukinii

100 g marchewki

1 łyżka oliwy z oliwek

Sposób wykonania:

Rozgrzej patelnię (najlepiej ze stali nierdzewnej). Na rozgrzanej patelni połóż filet z łososia skórą do dołu. Po chwili delikatnie posól rybę solą morską.

Przykryj pokrywką i zostaw na około 10 – 15 minut.

Umyj i obierz warzywa, pokrój je w słupki.

Do rondla wlej 1 łyżkę oliwy z oliwek, wrzuć seler, potem marchewkę, fasolkę szparagową i cukinię. Podlej kilkoma łyżkami wody.

Duś warzywa krótko, tak aby były półtwarde.

Upieczonego łososia posyp posiekanym drobno koperkiem, podawaj z ćwiartką cytryny. Obok ułóż duszone warzywa.

Smacznego!

Wartość kaloryczna — około 450 kcal

Sałatka z rukoli i szpinaku

DLA GRUPY 0, A, B, AB

Składniki:

100 g rukoli

100 g świeżego szpinaku

50 g sałaty lodowej

80 g świeżej brzoskwini

70 g mozzarelli

3 łyżki sosu vinaigrette

Sposób wykonania:

Umyj pod bieżącą wodą rukolę i liście świeżego szpinaku, sałatę lodową. Osusz je na papierowym ręczniku.

Brzoskwinię umyj, usuń pestkę, pokrój w paski.

Zielone warzywa wymieszaj z brzoskwinią. Kuleczki mozzarelli przekrój na pół, jedną zostaw do dekoracji. Całość skrop 3 łyżkami sosu vinaigrette i jeszcze raz wymieszaj z mozzarellą.

Sałatkę wyłóż na talerz, udekoruj kuleczką mozzarelli i gałązką zielonej pietruszki.

Smacznego!

Wartość kaloryczna — około 250 kcal

Piccata z indyka z sosem cytrynowym (wersja light) z zielonymi szparagami

DLA GRUPY 0, A, B, AB

Sposób wykonania:

Mięso z indyka opłucz, osusz, pokrój w paseczki.

Umyj warzywa, obierz. Cebulę, marchew i seler pokrój w drobną kostkę. Posiekaj zieloną pietruszkę.

Rozgrzej patelnię, wrzuć cebulę i delikatnie ją zeszklij, dodaj marchewkę i seler naciowy. Do warzyw dodaj indyka i poddus razem. Podlej winem i wodą. Duś do miękkości. Zredukuj sos, dodaj startą skórkę z cytryny i zieloną pietruszkę. Dopraw solą do smaku.

W międzyczasie szparagi ugotuj w lekko osolonej wodzie.

Na talerzu układaj piccatę, obok połóż szparagi.

Smacznego!

Wartość kaloryczna — około 470 kcal

Składniki:

150 g fileta z indyka
1 łyżka oliwy z oliwek
50 g cebuli
100 g marchewki
60 g selera naciowego
skórka otarta z ½ cytryny
5 łyżek czerwonego wina
zielona pietruszka
150 g zielonych szparagów

Dorsz z duszonymi warzywami

DLA GRUPY 0, A, B, AB

Składniki:

150 g fileta z dorsza

100 g marchewki

100 g selera

50 g zielonego groszku (mrożonego)

zielony tymianek

ćwiartka cytryny

2 łyżki oliwy z oliwek

sól selerowa

Sposób wykonania:

Ugotuj w niewielkiej ilości wody filet z dorsza z dodatkiem odrobiny soli.

Umyj i obierz warzywa. Marchewkę i seler pokrój w grubą kostkę. Na rozgrzaną patelnię wlej 2 łyżki oliwy z oliwek i dodawaj kolejno seler, marchewkę, zielony groszek. Warzywa duś tak długo aż trochę zmiękną. Na koniec dopraw delikatnie solą. Podduszone warzywa układaj na talerzu obok fileta z dorsza.

Dorsza polej sokiem z ćwiartki cytryny i posyp zielonym tymiankiem.

Smacznego!

Wartość kaloryczna — około 250 kcal

Filet z okonia z surówką z kapusty pekińskiej

DLA GRUPY 0, B

Sposób wykonania:

Filet z okonia ugotuj w małej ilości wody. Po ugotowaniu posyp szczyptą soli.

Gdy ryba będzie się gotować, umyj liście kapusty pekińskiej i paprykę. Kapustę posiekaj w cienkie paseczki. Świeżą paprykę pokrój w kostkę.

Zielony groszek ugotuj do miękkości w lekko osolonej wodzie. Połącz wszystkie składniki sałatki w miseczce. Całość skrop oliwą z oliwek i delikatnie dopraw do smaku.

Filet posyp drobno posiekaną zieloną pietruszką, podawaj z ćwiartką cytryny i sałatką z kapusty pekińskiej.

Smacznego!

Wartość kaloryczna (ryba + surówka) — około 430 kcal

Składniki:

170 g fileta z okonia morskiego

szczypta soli

zielona pietruszka

ćwiartka cytryny

200 g kapusty pekińskiej

100 g papryki czerwonej

100 g zielonego groszku

2 łyżki oliwy z oliwek

Filet z okonia z sałatą rzymską

DLA GRUPY A, AB

Sposób wykonania:

Filet z okonia ugotuj w małej ilości wody. Po ugotowaniu posyp szczyptą soli i drobno posiekaną zieloną pietruszką.

W międzyczasie przygotuj sałatkę.

Zagotuj w garnku wodę z odrobiną soli.

Zanurz we wrzątku na 1 minutę sałatę rzymską, trzymając ją za górną część. Sałata powinna nabrać żywozielonego koloru. Wyjmij sałatę z wody i osącz, pokrój w grube paski.

Na głębokiej patelni rozgrzej oliwę z oliwek. Wrzuć pokrojony w plastry ząbek czosnku.

Porwij palcami kapelusze boczniaków na mniejsze kawałki i podduś na oliwie.

Dodaj zieloną pietruszkę, następnie sałatę rzymską.

Całość wymieszaj na patelni i pozostaw na chwilę.

Warzywa wyłóż na talerz. Filet z okonia udekoruj ćwiartką cytryny i podawaj razem z ciepłymi warzywami.

Smacznego!

Składniki:

170 g fileta z okonia morskiego

szczypta soli

zielona pietruszka

ćwiartka cytryny

1 główka sałaty rzymskiej (około 300 g)

200 g grzybów boczniaków

1 ząbek czosnku

pęczek zielonej pietruszki

2 łyżki oliwy z oliwek

Wartość kaloryczna (ryba + ciepła sałatka) — 455 kcal

Sałatka hawajska

DLA GRUPY A, B

Składniki:

100 g piersi z indyka

100 g świeżego ananasa

150 g sałaty lodowej

100 g rukoli

50 g zielonego ogórka
(dla grupy A, B)

1 łyżka sosu vinaigrette

Sposób wykonania:

Ugotuj pierś z indyka w niewielkiej ilości lekko osolonej wody.

Ćwiartki plastrów ananasa podsmaż na patelni grillowej bez tłuszczu.

Sałatę lodową umyj i osusz. Porozrywaj ją palcami na drobniejsze kawałki. Umyj i osusz rukolę.

Sałaty wymieszaj z 2 łyżkami sosu vinaigrette.

Pierś z indyka pokrój w kostkę.

Zielonego ogórka umyj i pokrój w plastry, wymieszaj z sałatami.

Na talerz nałóż miks sałat z sosem vinaigrette.
Na górze ułóż dekoracyjnie pokrojonego indyka i cząstki grillowanego ananasa.

Smacznego!

Wartość kaloryczna — około 250 kcal

Sałatka hawajska

DLA GRUPY 0, AB

Sposób wykonania:

Ugotuj pierś z indyka w niewielkiej ilości lekko osolonej wody.

Ćwiartki plastrów ananasa podsmaż na patelni grillowej bez tłuszczu.

Sałatę lodową umyj i osusz. Porozrywaj ją palcami na drobniejsze kawałki. Umyj i osusz rukolę. Sałaty wymieszaj z 2 łyżkami sosu vinaigrette. Pomidorki koktajlowe umyj i pokrój w ćwiartki. Wymieszaj z sałatami i sosem.

Pierś z indyka pokrój w kostkę.

Na talerz nałóż miks sałat z sosem vinaigrette. Na górze ułóż dekoracyjnie pokrojonego indyka i cząstki grillowanego ananasa.

Smacznego!

Wartość kaloryczna — około 250 kcal

Składniki:

100 g piersi z indyka

100 g świeżego ananasa

150 g sałaty lodowej

100 g rukoli

50 g pomidorków koktajlowych (dla grupy 0 i AB)

1 łyżka sosu vinaigrette

Kasza jaglana z rodzynkami

DLA GRUPY 0, A

Sposób wykonania:

Zalej w garnku kaszę jaglaną szklanką wody, ugotuj.

Kaszę wystudź.

Ananasa pokrój w kostkę i wymieszaj z kaszą, wlej mleko sojowe.

Takie śniadanie daje energię na długi czas.

Smacznego!

Wartość kaloryczna — około 400 kcal

Składniki:

70 g grubej kaszy jaglanej

30 g suszonego ananasa

100 ml mleka sojowego

Kasza jaglana z rodzynkami

DLA GRUPY B, AB

Sposób wykonania:

Zalej w garnku kaszę jaglaną szklanką wody, ugotuj.

Kaszę wystudź.

Ananasa pokrój w kostkę i wymieszaj z kaszą.

Dodaj jogurt naturalny.

Takie śniadanie daje energię na długi czas.

Smacznego!

Wartość kaloryczna — około 400 kcal

Składniki:

70 g grubej kaszy jaglanej

30 g suszonego ananasa

100 ml jogurtu

Pstrąg pieczony sauté z warzywami

DLA GRUPY 0

Sposób wykonania:

Pstrąga opłucz pod zimną wodą. Do środka tuszki włóż kilka gałązek zielonej pietruszki. Tuszkę posól solą morską i skrop tymiankową oliwą.

Pstrąga włóż do specjalnego rękawa papierowego do pieczenia. Rybę piecz w piekarniku w temperaturze około 180 stopni przez mniej więcej 15 – 20 minut. Po upieczeniu wyciągnij z rękawa.

W międzyczasie przygotuj warzywa.

Do wrzącej, lekko osolonej wody wrzuć kolejno marchewkę, brokuły. Gotuj około 10 minut. Warzywa odsącz i skrop oliwą.

Na talerzu ułóż bukiet warzyw obok pstrąga.

Podawaj z ćwiartką cytryny.

Smacznego!

Składniki:

1 pstrąg (tusza wypatroszona około 300 g)

kilka gałązek zielonej pietruszki

1 łyżka tymiankowej oliwy z oliwek

sól morska

200 g różyczek brokułów

100 g marchwi

1 łyżka oliwy z oliwek

Wartość kaloryczna — około 450 kcal

Pstrąg pieczony sauté z bukietem warzyw

DLA GRUPY A

Sposób wykonania:

Pstrąga opłucz pod zimną wodą. Do środka tuszki włóż kilka gałązek zielonej pietruszki. Tuszkę posól solą morską i skrop tymiankową oliwą.

Pstrąga włóż do specjalnego rękawa papierowego do pieczenia. Rybę piecz w piekarniku w temperaturze około 180 stopni przez mniej więcej 15 – 20 minut. Po upieczeniu wyciągnij z rękawa.

W międzyczasie przygotuj warzywa.

Do wrzącej, lekko osolonej wody wrzuć kolejno marchewkę, kalafior, brokuły. Gotuj około 10 minut. Warzywa odsącz i skrop oliwą.

Na talerzu ułóż bukiet warzyw obok pstrąga.

Podawaj z ćwiartką cytryny.

Smacznego!

Wartość kaloryczna — około 450 kcal

Składniki:

1 pstrąg (tusza wypatroszona około 300 g)

kilka gałązek zielonej pietruszki

1 łyżka tymiankowej oliwy z oliwek

sól morska

100 g różyczek brokułów

100 g kalafiora

100 g marchwi

1 łyżka oliwy z oliwek

Stek z tuńczyk z bukietem warzyw

DLA GRUPY B, AB

Składniki:

180 g tuńczyka (stek)

kilka gałązek zielonego tymianku

1 łyżka tymiankowej oliwy z oliwek

sól morska

100 g różyczek brokułów

100 g różyczek kalafiora

100 g marchwi

1 łyżka oliwy z oliwek

Sposób wykonania:

Stek opłucz pod zimną wodą, osusz. Natrzyj oliwą tymiankową, posyp solą morską. Rozgrzej patelnię i usmaż rybę, ostrożnie przewracając ją na drugą stronę.

W międzyczasie przygotuj warzywa.

Do wrzącej, lekko osolonej wody wrzuć kolejno marchewkę, kalafior i brokuły.

Gotuj około 10 minut. Warzywa odsącz i skrop oliwą.

Na talerzu ułóż bukiet warzyw obok pstrąga.

Podawaj z ćwiartką cytryny.

Smacznego!

Wartość kaloryczna — około 450 kcal

Ratatuj warzywne

DLA GRUPY 0, B

Sposób wykonania:

Warzywa umyj. Cukinię wraz ze skórką pokrój w półplastry. Seler naciowy pokrój w plastry, cebulę w piórka.

Paprykę pokrój w kostkę.

W rondlu lub głębokiej patelni rozgrzej oliwę z oliwek. Wrzucaj kolejno cebulę, seler, cukinię, paprykę. Podlej kilkoma łyżkami wody.

Całość duś pod przykryciem około 10 – 12 minut, na końcu delikatnie posól. Ciepłe danie wyłóż na głęboki talerz i posyp serem feta pokrojonym w kostkę.

Smacznego!

Wartość kaloryczna — około 250 kcal

Składniki:

200 g cukinii

100 g selera naciowego

50 g czerwonej cebuli

1 łyżka truflowej oliwy z oliwek

60 g sera feta

100 g czerwonej papryki

Ratatuj warzywne

DLA GRUPY A, AB

Składniki:

200 g cukinii

100 g kalarepy

50 g czerwonej cebuli

1 łyżka truflowej oliwy z oliwek

60 g sera feta

100 g fasolki szparagowej

Sposób wykonania:

Warzywa umyj. Cukinię wraz ze skórką pokrój w półplastry, kalarepę w plastry, cebulę w piórka.

Pokrój na 3 części fasolkę szparagową. W rondlu lub głębokiej patelni rozgrzej oliwę z oliwek.

Wrzucaj kolejno cebulę, kalarepę, cukinię, fasolkę. Całość duś pod przykryciem około 10 – 12 minut, na końcu delikatnie posól. Ciepłe danie wyłóż na głęboki talerz.

Posyp serem feta pokrojonym w kostkę.

Smacznego!

Wartość kaloryczna — około 250 kcal

Jajecznica

DLA GRUPY 0, AB

Składniki:

2 jaja

30 g szczypiorku

100 g pomidora

50 g chleba orkiszowego

1 łyżka oliwy z oliwek

Sposób wykonania:

Umyj pomidora, przekrój skórkę nożem, robiąc znak X na górze. Zalej wrzątkiem i po chwili obierz pomidora ze skórki. Pokrój go w kostkę.

Umyte jajka wybij do miseczki. Roztrzep widelcem i wsyp posiekany szczypiorek.

Rozgrzej patelnię, nalej 1 łyżkę oliwy z oliwek.

Wlej na patelnię masę jajeczną, stale mieszając. Na koniec dodaj pokrojonego pomidora. Do jajecznicy podajemy chlebek orkiszowy.

Smacznego!

Wartość kaloryczna — około 400 – 415 kcal

Jajecznica

DLA GRUPY A, B

Sposób wykonania:

Umyte jajka wybij do miseczki. Roztrzep widelcem i wsyp posiekany szczypiorek.

Rozgrzej patelnię, nalej 1 łyżkę oliwy z oliwek.

Wlej na patelnię masę jajeczną, stale mieszając. Posól jajecznicę szczyptą soli. Do jajecznicy podajemy chlebek orkiszowy.

Smacznego!

Wartość kaloryczna — około 400 kcal

Składniki:

2 jaja

30 g szczypiorku

1 łyżka oliwy z oliwek

sól morska

50 g chleba orkiszowego

Stek z polędwicy wołowej ze szparagami

DLA GRUPY 0, B

Sposób wykonania:

Wieczorem zrób marynatę z oliwy z oliwek i czosnku z rozmarynem. Nasmaruj nią ładny kawałek polędwicy wołowej i odstaw do lodówki.

Następnego dnia tak przygotowany stek usmaż z dwóch stron na patelni grillowej. Najlepszy będzie, kiedy temperatura steku w środku wyniesie około 65 stopni, można to zmierzyć termometrem z sondą (szpikulec).

Po usmażeniu delikatnie posól solą selerową.

Szparagi wrzuć do gotującej się, lekko osolonej wody. Po wyciągnięciu z wody osącz.

Osobno ugotuj zielony groszek, osącz.

Na talerzu ułóż stek, obok szparagi, całość posyp zielonym groszkiem.

Smacznego!

Wartość kaloryczna — około 460 kcal

Składniki:

180 g polędwicy wołowej

2 łyżki oliwy z oliwek

sól selerowa

gałązka rozmarynu

200 g białych szparagów

50 g zielonego groszku

2 ząbki czosnku

Pierś z indyka z grilla ze szparagami **DLA GRUPY A, AB**

Sposób wykonania:

Wieczorem zrób marynatę z oliwy z oliwek i tymianku.

Nasmaruj nią filet z indyka i odstaw do lodówki.

Następnego dnia tak przygotowane mięso usmaż z dwóch stron na patelni grillowej.

Po usmażeniu delikatnie posól solą selerową i przykryj pokrywką, wyłącz palnik. Pozostaw aż mięso nieco zmięknie.

W międzyczasie szparagi wrzuć do gotującej się, lekko osolonej wody. Po wyciągnięciu z wody osącz.

Osobno ugotuj zielony groszek, osącz.

Na talerzu ułóż filet z indyka, udekoruj ćwiartką cytryny.

Obok ułóż szparagi, całość posyp zielonym groszkiem.

Smacznego!

Wartość kaloryczna — około 430 kcal

Składniki:

180 g fileta z indyka

oliwa z oliwek

ćwiartka cytryny

sól selerowa

tymianek

200 g białych szparagów

50 g zielonego groszku

Sałatka tabule **DLA GRUPY 0, B**

Sposób wykonania:

Zalej proso lub kaszę 1 szklanką wody i ugotuj, wystudź.

Umytą zieloną pietruszkę i miętę drobno posiekaj.

Cebulę i paprykę pokrój w kostkę.

Warzywa wymieszaj z ugotowanym prosem i odrobiną oliwy z oliwek. Delikatnie dopraw solą morską.

Smacznego!

Wartość kaloryczna — około 220 kcal

Składniki:

40 g prosa lub grubej kaszy jaglanej

50 g zielonej pietruszki

50 g świeżej mięty

100 g czerwonej papryki

50 g cebuli

½ łyżki oliwy z oliwek

Sałatka tabule

DLA GRUPY A, AB

Sposób wykonania:

Zalej proso lub kaszę 1 szklanką wody i ugotuj, wystudź.

Umytą zieloną pietruszkę i miętę drobno posiekaj.

Cebulę i kalarepę pokrój w kostkę.

Warzywa wymieszaj z ugotowanym prosem i odrobiną oliwy z oliwek. Delikatnie dopraw solą morską.

Smacznego!

Wartość kaloryczna — około 220 kcal

Składniki:

40 g prosa lub grubej kaszy jaglanej

50 g zielonej pietruszki

50 g świeżej mięty

100 g kalarepy

50 g cebuli czerwonej

½ łyżki oliwy z oliwek

Sałatka z brokułów z pomidorami

DLA GRUPY 0

Sposób wykonania:

Ugotuj różyczki brokułów w lekko osolonej wodzie, tak żeby nie straciły żywozielonego koloru.

Pomidory ponacinaj na czubku, robiąc znak X, sparz wodą i obierz ze skórki. Pokrój je w grubą kostkę.

Wymieszaj różyczki brokułów z pomidorami i tofu.

Całość polej 1 łyżką sosu vinaigrette.

Smacznego!

Wartość kaloryczna — około 250 kcal

Składniki:

150 g brokułów

150 g pomidorów

100 g tofu

½ łyżki oliwy z oliwek

1 łyżka sosu vinaigrette

Sałatka z brokułów z czerwoną cykorią

DLA GRUPY A, AB

Sposób wykonania:

Ugotuj różyczki brokułów w lekko osolonej wodzie, tak żeby nie straciły żywozielonego koloru.

Porozdzielaj liście cykorii, umyj i osusz. Porwij palcami na kawałki, nie używaj noża, wtedy cykoria nie będzie gorzka. Zostaw trzy liście do dekoracji jako łódeczki.

Wymieszaj różyczki brokułów z cykorią.

Tofu pokrój w kostkę, wymieszaj z warzywami.

Całość polej 1 łyżką sosu vinaigrette. Sałatkę układaj na łódeczkach z cykorii.

Smacznego!

Wartość kaloryczna — około 250 kcal

Składniki:

150 g brokułów

150 g cykorii

100 g tofu

½ łyżki oliwy z oliwek

1 łyżka sosu vinaigrette

Sałatka z brokułów z cykorią

DLA GRUPY B

Sposób wykonania:

Ugotuj różyczki brokułów w lekko osolonej wodzie, tak żeby nie straciły żywozielonego koloru.

Porozdzielaj liście cykorii, umyj i osusz. Porwij palcami na kawałki, nie używaj noża, wtedy cykoria nie będzie gorzka. Zostaw trzy liście do dekoracji jako łódeczki.

Wymieszaj różyczki brokułów z cykorią.

Parmezan wymieszaj z warzywami.

Całość polej 1 łyżką sosu vinaigrette.

Sałatkę układaj na łódeczkach z cykorii.

Smacznego!

Wartość kaloryczna — około 250 kcal

Składniki:

150 g brokułów

150 g cykorii

1 łyżka tartego parmezanu (80 g)

½ łyżki oliwy z oliwek

1 łyżka sosu vinaigrette

Granola

DLA GRUPY 0, A, B, AB

Składniki na około 10 porcji:

3 szklanki płatków owsianych lub płatków orkiszowych

1 szklanka otrębów orkiszowych

3 łyżki suszonych żurawin

3 łyżki rodzynek

1 szklanka łuskanych orzechów włoskich

laska wanilii

¾ szklanki syropu klonowego

Sposób wykonania:

Granolę można przygotować wcześniej i przechowywać w zamkniętym naczyniu w lodówce.

Rozgrzej piekarnik do 180 stopni. W dużej misce połącz płatki owsiane lub orkiszowe z otrębami i suszonymi owocami, orzechami. Możesz dodać kilka łyżek oleju z pestek winogron i wymieszać. Dolej syrop klonowy i wymieszaj. Przełóż miksturę do nasmarowanej foremki i wstaw na około 80 minut do piekarnika w temperaturze 160 stopni, możesz przemieszać co jakiś czas.

Kilka łyżek granoli (około 70 g) włóż do miseczki i zalej dozwolonym dla swojej grupy krwi płynem, np. mlekiem sojowym (grupa 0, A, AB) lub owsianym, jogurtem (grupa B).

Smacznego!

Wartość kaloryczna — około 400 kcal

Miks sałat zielonych z winogronami

łosoś

DLA GRUPY 0, A, B, AB

Sposób wykonania:

Dzień wcześniej, wieczorem, przygotuj łososia.

Rozgrzej patelnię, filet ułóż skórą na dół, delikatnie posól solą morską. Przykryj patelnię na 10 – 15 minut. Skóra pozostanie na patelni, a rybę wyjmij, wystudź i odłóż do lodówki.

Następnego dnia zieloną sałatę umyj i porwij palcami na drobne kawałki.

Winogrona pokrój na połówki, zieloną pietruszkę drobno posiekaj.

Filet z łosia pokrój w paseczki o grubości 1 cm.

W głębokiej salaterce ułóż sałatę, posyp winogronami, pestkami dyni (tylko 0 i A), wlej sok z cytryny i oliwę z oliwek. Całość wymieszaj, na górze ułóż dekoracyjne paseczki łososia.

Smacznego!

Wartość kaloryczna — około 450 kcal

Składniki:

1 główka zielonej sałaty

100 g winogron

10 g pestek dyni (tylko 0 i A)

120 g fileta z łososia ze skórą

30 g zielonej pietruszki

1 łyżka oliwy z oliwek

sok z ½ cytryny

Halibut z grilla z cytryną

DLA GRUPY 0

Sposób wykonania:

Rozgrzej patelnię grillową, wlej oliwę z oliwek.

Usmaż halibuta, na koniec posyp tymiankiem i posól solą morską. Przykryj patelnię na 10 – 15 minut.

W międzyczasie umyj pomidory. Na czubku każdego pomidora zrób nacięcie w kształcie dużego znaku X, sparz pomidory wrzątkiem i zdejmij delikatnie skórkę. Pokrój pomidory w ćwiartki, cebulę pokrój w drobną kostkę, posyp nią pomidory i skrop oliwą z oliwek.

Na talerzu ułóż halibuta z cytryną, sałatkę podaj w oddzielnej miseczce.

Smacznego!

Wartość kaloryczna (ryba + sałatka) — około 250 kcal

Składniki:

180 g halibuta (dzwonek)

1 łyżka oliwy z oliwek

tymianek

ćwiartka cytryny

200 g pomidorów

50 g cebuli

kilka kropli oliwy z oliwek

sól morska

Halibut z grilla z cytryną

DLA GRUPY B

Sposób wykonania:

Rozgrzej patelnię grillową, wlej oliwę z oliwek.

Usmaż halibuta, na koniec posyp tymiankiem i posól solą morską. Przykryj patelnię na 10 – 15 minut.

Ogórki umyj, obierz ze skórki. Pokrój w cienkie plastry, wymieszaj z 3 łyżkami jogurtu. Koperek drobno posiekaj, wymieszaj z mizerią.

Na talerzu ułóż halibuta z cytryną. Sałatkę podaj w oddzielnej miseczce.

Smacznego!

Wartość kaloryczna (ryba + sałatka) — około 250 kcal

Składniki:

180 g halibuta (dzwonek)

1 łyżka oliwy z oliwek

tymianek

ćwiartka cytryny

200 g zielonych ogórków

3 łyżki jogurtu naturalnego

kilka gałązek koperku

Makrela pieczona

DLA GRUPY A, AB

Składniki:

makrela mała tuszka lub ½ większej

oliwa z oliwek

tymianek

sól morska

ćwiartka cytryny

200 g zielonych ogórków

3 łyżki jogurtu naturalnego

kilka gałązek koperku

Sposób wykonania:

Makrelę umyj, osusz. Natrzyj oliwą z oliwek, tymiankiem i delikatnie posól. Włóż do rękawa do pieczenia. Piecz w piekarniku w temperaturze 180 stopni 15 – 20 minut.

Ogórki umyj, obierz ze skórki. Pokrój w cienkie plastry, wymieszaj z 3 łyżkami jogurtu. Koperek drobno posiekaj, wymieszaj z mizerią.

Na talerzu ułóż makrelę z cytryną. Sałatkę podaj w oddzielnej miseczce.

Smacznego!

Wartość kaloryczna (ryba + sałatka) — około 250 kcal

Omlet z liśćmi szpinaku

DLA GRUPY 0, B

Składniki:

2 jaja

100 g świeżego szpinaku

50 g czerwonej papryki

100 g sera feta

½ łyżki oliwy z oliwek

Sposób wykonania:

Oddziel żółtka od białek, ubij pianę z białek i dodaj żółtka, delikatnie wymieszaj masę. Paprykę umyj i pokrój w cienkie plastry. Fetę pokrój w kostkę. Liście szpinaku umyj i osusz.

Na patelni rozgrzej oliwę i wylej masę jajeczną. Gdy omlet będzie odchodził delikatnie od brzegów, wsyp na wierzchnią stronę liście szpinaku. Następnie paprykę i pokrojoną fetę.

Kiedy masa się zetnie, długim nożem lub łopatką złóż omlet na pół (jak kartkę) i zsuń na talerz.

Smacznego!

Wartość kaloryczna — około 400 kcal

Omlet z liśćmi szpinaku

DLA GRUPY A, AB

Sposób wykonania:

Oddziel żółtka od białek, ubij pianę z białek i dodaj żółtka, delikatnie wymieszaj masę. Cebulę umyj i pokrój w cienkie plastry. Fetę pokrój w kostkę. Liście szpinaku umyj i osusz.

Na patelni rozgrzej oliwę i wylej masę jajeczną.

Gdy omlet będzie odchodził delikatnie od brzegów, wsyp na wierzchnią stronę liście szpinaku. Następnie cebulę i pokrojoną fetę. Kiedy masa się zetnie, długim nożem lub łopatką złóż omlet na pół (jak kartkę) i zsuń na talerz.

Smacznego!

Wartość kaloryczna — około 400 kcal

Składniki:

2 jaja

100 g świeżego szpinaku

50 g cebuli czerwonej

100 g sera feta

½ łyżki oliwy z oliwek

Dorsz duszony z warzywami

DLA GRUPY 0, A

Sposób wykonania:

Umyj i obierz warzywa, zetrzyj na tarce o grubych oczkach.

Rozgrzej patelnię, nalej kilka kropli oliwy z oliwek. Wrzucaj kolejno starte warzywa, zielony groszek. Podduś warzywa tak, aby były al dente. Osobno ugotuj na parze filet z dorsza i delikatnie przełóż na warzywa.

Umyj zieloną sałatę i porwij palcami na drobniejsze części. Umyj rzodkiewki, pokrój na półplastry. Szczypiorek umyj, osusz i posiekaj. Całość wymieszaj w salaterce z sosem vinaigrette.

Na talerzu ułóż dorsza na warzywach, podaj z ćwiartką cytryny i salaterką sałaty.

Smacznego!

Wartość kaloryczna — około 400 kcal

Składniki:

200 g fileta z dorsza

100 g selera korzeniowego

100 g marchwi

50 g zielonego groszku (mrożonego)

½ łyżki oliwy z oliwek

sól morska

200 g sałaty zielonej

100 g rzodkiewek

30 g zielonego szczypiorku

1 łyżka sosu vinaigrette

Dorsz duszony z warzywami

DLA GRUPY B, AB

Sposób wykonania:

Umyj i obierz warzywa, zetrzyj na tarce o grubych oczkach.

Rozgrzej patelnię, nalej kilka kropli oliwy z oliwek.

Wrzucaj kolejno starte warzywa, zielony groszek.

Podduś warzywa tak, aby były al dente. Osobno ugotuj na parze filet z dorsza i delikatnie przełóż na warzywa.

Umyj zieloną sałatę i porwij palcami na drobniejsze części. Umyj ogórka, pokrój na półplastry. Szczypiorek umyj, osusz i posiekaj. Całość wymieszaj w salaterce z sosem vinaigrette.

Na talerzu ułóż dorsza na warzywach, podaj z ćwiartką cytryny i salaterką sałaty.

Smacznego!

Składniki:

200 g fileta z dorsza

100 g selera korzeniowego

100 g marchwi

50 g zielonego groszku (mrożonego)

½ łyżki oliwy z oliwek

sól morska

200 g sałaty zielonej

100 g świeżego ogórka

30 g szczypiorku,

1 łyżka sosu vinaigrette

Wartość kaloryczna — około 400 kcal

Sałatka z suszonych fig

DLA GRUPY 0

Sposób wykonania:

Serek tofu pokrój w kostkę.

Figi w drobne paseczki.

Składniki wymieszaj z syropem klonowym w miseczce.

Smacznego!

Wartość kaloryczna — około 200 kcal

Składniki:

2 suszone figi

100 g sera tofu

1 łyżka syropu klonowego

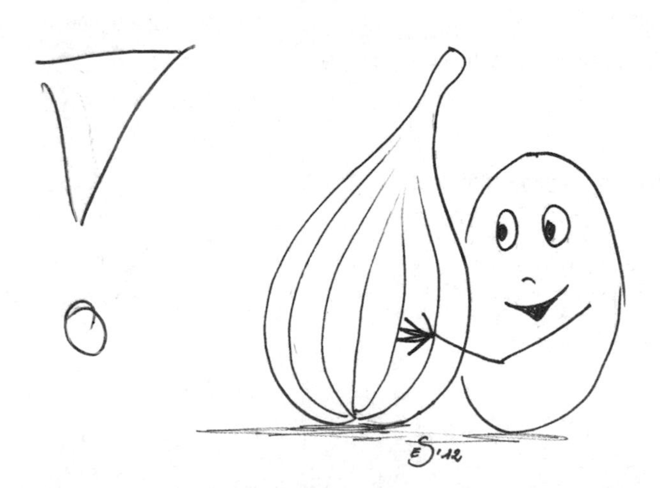

Serek ricotta z suszonymi figami **DLA GRUPY A, B, AB**

Sposób wykonania:

Figi pokrój w paseczki.

Serek ricotta wymieszaj z syropem klonowym i dmuchanym ziarnem amarantusa, dodaj figi.

Smacznego!

Wartość kaloryczna — około 220 kcal

Składniki:

80 g serka ricotta

2 suszone figi

1 łyżka syropu klonowego

1 łyżka amarantusa (dmuchane ziarno)

Faszerowane cukinie

DLA GRUPY 0, A, B, AB

Sposób wykonania:

Cukinię umyj, przekrój wzdłuż na połowę.

Wydrąż miąższ ze środka, odłóż do miseczki.

Filet z indyka zmiel na maszynce do mięsa lub posiekaj drobno jak na tatar.

Na rozgrzanej patelni na oliwie z oliwek podduś mięso z indyka.

Dodawaj pokrojony miąższ z cukinii i delikatnie dopraw solą.

Na koniec dodaj posiekaną zieloną pietruszkę.

Połówki cukinii wypełnij farszem, ułóż na górze kuleczki z mozzarelli przekrojone na pół.

Piecz w piekarniku w temperaturze około 160 stopni przez 20 minut, podlewając sosem spod warzyw.

Smacznego!

Wartość kaloryczna — około 260 kcal

Składniki:

300 g cukinii

100 g fileta z indyka

50 g sera mozzarella

1 łyżka oliwy z oliwek

30 g zielonej pietruszki

sól morska

Kurczak cacciatore

DLA GRUPY A

Sposób wykonania:

Mięso umyj i osusz. Filet z kurczaka pokrój na paseczki szerokości 1 cm. Do rondla nalej kilka kropli oliwy z oliwek, włóż mięso, wymieszaj. Podlej ½ szklanki wody i duś do miękkości.

Wyciągnij mięso i odłóż do miseczki. Pokrój w plasterki ząbek czosnku. Cebulę, cukinię, marchewkę pokrój w kostkę i wrzuć do sosu pozostałego po duszeniu kurczaka.

Gdy marchewka będzie już miękka, dodaj brokuły, podlej czerwonym winem, dołóż duszone mięso kurczaka.

Potrawę podawaj najlepiej na ciepło, z niewielką ilością soli, w asyście kilku liści sałaty skropionej oliwą truflową.

Smacznego!

Wartość kaloryczna — około 450 kcal

Składniki:

160 g fileta z kurczaka

1 ząbek czosnku

50 g cebuli

200 g cukinii

150 g marchewki

100 g brokułów

30 ml czerwonego wina

100 g zielonej sałaty

½ łyżki oliwy truflowej

Cielęcina cacciatore

DLA GRUPY 0, B

Składniki:

150 g górki cielęcej

1 ząbek czosnku

50 g cebuli

150 g marchewki

200 g cukinii

100 g papryki

100 g brokułów

30 ml czerwonego wina

100 g zielonej sałaty

½ łyżki oliwy truflowej

Sposób wykonania:

Mięso umyj, osusz. Pokrój na paseczki szerokości 1 cm.

Do rondla nalej kilka kropli oliwy z oliwek, włóż mięso, wymieszaj. Podlej ½ szklanki wody i duś do miękkości.

Wyciągnij mięso i odłóż do miseczki. Pokrój w plasterki ząbek czosnku. Cebulę, paprykę, cukinię, marchewkę pokrój w kostkę i wrzuć do sosu pozostałego po duszeniu mięsa. Na koniec dodaj brokuły.

Gdy marchewka będzie już miękka, podlej czerwonym winem, dołóż duszone mięso cielęce.

Potrawę podawaj najlepiej na ciepło, z niewielką ilością soli, w asyście kilku liści sałaty skropionej oliwą truflową.

Smacznego!

Wartość kaloryczna — około 450 kcal

Królik cacciatore

DLA GRUPY AB

Sposób wykonania:

Mięso z królika umyj, osusz. Pokrój na paseczki szerokości 1 cm.

Do rondla nalej kilka kropli oliwy z oliwek, włóż mięso, wymieszaj. Podlej ½ szklanki wody i duś do miękkości.

Wyciągnij mięso i odłóż do miseczki. Pokrój w plasterki ząbek czosnku. Cebulę, marchewkę pokrój w kostkę i wrzuć do sosu pozostałego po duszeniu królika, dołóż pomidory pokrojone w kostkę. Na koniec dodaj brokuły i oliwki.

Gdy marchewka będzie już miękka, podlej czerwonym winem, dołóż duszone mięso królika.

Potrawę podawaj najlepiej na ciepło, z niewielką ilością soli, w asyście kilku liści sałaty skropionej oliwą truflową.

Smacznego!

Wartość kaloryczna — około 450 kcal

Składniki:

150 g mięsa królika bez kości

1 ząbek czosnku

50 g cebuli

150 g marchewki

200 g pomidorów

100 g brokułów

kilka oliwek zielonych

30 ml czerwonego wina

100 g zielonej sałaty

½ łyżki oliwy truflowej

Dorsz pieczony z cytryną, szpinak z jajkiem

DLA GRUPY 0, A, B, AB

Sposób wykonania:

Filet z dorsza opłucz pod zimną wodą, osusz papierowym ręcznikiem.

Natrzyj dorsza oliwą i posyp tymiankiem, delikatnie posól.

Rybę włóż do specjalnego rękawa do pieczenia.

Nagrzej piekarnik do 180 stopni i piecz dorsza przez około 20 – 25 minut.

Równocześnie do rondelka wlej kilka kropli oliwy z oliwek, wrzuć rozdrobniony ząbek czosnku, a następnie podduś szpinak.

Jeżeli masz świeży szpinak, to posiekaj drobno listki, jeżeli mrożony, najlepiej użyć rozdrobnionego. Gdy szpinak będzie miękki, dodaj żółtko i szybko wymieszaj, delikatnie posól.

Upieczonego dorsza podawaj z ćwiartką cytryny w asyście duszonego szpinaku.

Smacznego!

Wartość kaloryczna — około 250 kcal

Składniki:

200 g świeżego dorsza

1 łyżka oliwy z oliwek

200 g szpinaku świeżego lub mrożonego

1 żółtko

1 ząbek czosnku

sól morska do smaku

tymianek świeży lub suszony

Gulasz z okonia z warzywami

DLA GRUPY 0, B

Sposób wykonania:

Filet z okonia opłucz w zimnej wodzie, osusz i pokrój na paseczki szerokości 3 cm. Marchewkę pokrój w słupki, selera w plasterki, paprykę w kostkę.

Drobno posiekaj pietruszkę. Na rozgrzaną patelnię wlej kilka kropli oliwy z oliwek i ułóż filety z okonia. Okoń ma delikatne mięso, nie smaż go, tylko gdy „odejdzie" od patelni, przewróć na drugą stronę. Przytrzymaj jeszcze kilka minut i odłóż do osobnego naczynia.

Na tę samą patelnię wrzuć kolejno marchewkę, seler, groszek i paprykę. Dolej ½ szklanki wody i poddduś warzywa. Na sam koniec dodaj okonia, delikatnie posól i wymieszaj. Niech ryba przejdzie aromatem warzyw, całość posyp zieloną pietruszką.

Smacznego!

Wartość kaloryczna — około 450 kcal

Składniki:

200 g fileta z okonia

150 g marchwi

150 g selera naciowego

100 g zielonego groszku

30 g zielonej pietruszki

1 łyżka oliwy z oliwek

50 g czerwonej papryki

Gulasz z okonia z warzywami

DLA GRUPY A, AB

Sposób wykonania:

Filet z okonia opłucz w zimnej wodzie, osusz i pokrój na paseczki szerokości 3 cm. Marchewkę pokrój w słupki, seler naciowy w plasterki.

Drobno posiekaj pietruszkę. Na rozgrzaną patelnię wlej kilka kropli oliwy z oliwek i ułóż filety z okonia. Okoń ma delikatne mięso, nie smaż go, tylko gdy „odejdzie" od patelni, przewróć na drugą stronę. Przytrzymaj jeszcze kilka minut i odłóż do osobnego naczynia.

Na tę samą patelnię wrzuć kolejno marchewkę, seler, groszek, dolej ½ szklanki wody i podduś warzywa. Na sam koniec dodaj okonia, delikatnie posól i wymieszaj. Niech ryba przejdzie aromatem warzyw, całość posyp zieloną pietruszką.

Smacznego!

Wartość kaloryczna — około 450 kcal

Składniki:

200 g fileta z okonia

150 g marchwi

150 g selera naciowego

100 g zielonego groszku

30 g zielonej pietruszki

1 łyżka oliwy z oliwek

sól morska

Sałatka nicejska

DLA GRUPY 0, A, B, AB

Sposób wykonania:

W lekko osolonej wodzie ugotuj fasolkę szparagową.

Po ugotowaniu wystudź.

Ugotuj jajko na półtwardo (8 – 10 minut od zimnej wody).

Cebulę posiekaj w kostkę.

Sałatę lodową umyj, osusz i porwij palcami na mniejsze kawałki. Wrzuć do miseczki, dodaj fasolkę, 2 łyżki sosu vinaigrette, kawałki tuńczyka. Całość wymieszaj i przełóż na talerz.

Udekoruj jajkiem pokrojonym na ósemki.

Smacznego!

Składniki:

150 g sałaty lodowej

50 g fasolki szparagowej

80 g tuńczyka w sosie własnym

1 jajko

50 g cebuli

2 łyżki sosu vinaigrette

Wartość kaloryczna — około 260 kcal

14

Zestawienie zastosowanych (i innych popularnych) produktów wraz z dodatkowymi informacjami

Legenda

○ — produkt zasadotwórczy dla organizmu
● — produkt kwasotwórczy dla organizmu
◐ — produkt obojętny dla organizmu
😐 — produkt obojętny dla danej grupy krwi
☹ — produkt niewskazany dla danej grupy krwi
☺ — produkt wysoce wskazany dla danej grupy krwi

WYBRANE PRODUKTY	Działanie kwasotwórcze lub zasadotwórcze	kcal/100 g	Grupa			
			0	A	B	AB
WARZYWA						
Bakłażan	○	21	😐	☹	☺	☺
Brokuły	○	24	☺	☺	☺	☺
Brukselka	●	37	😐	😐	☺	😐
Buraki gotowane	○	45	😐	😐	☺	☺

WYBRANE PRODUKTY	Działanie kwasotwórcze lub zasadotwórcze	kcal/100 g	Grupa			
			0	A	B	AB
WARZYWA — *ciąg dalszy*						
Buraki surowe (sok)	○	38	😐	😐	🙂	🙂
Cebula	○	30	🙂	🙂	😐	😐
Chrzan	○	67	🙂	🙂	😐	😐
Cukinia	○	15	😐	🙂	😐	😐
Cykoria	○	21	🙂	🙂	😐	😐
Czosnek	○	150	😐	🙂	😐	🙂
Fasolka szparagowa	○	27	🙂	🙂	😐	😐
Fasola biała	○	288	😐	😐	😐	😐
Groszek dojrzały	●	293	😐	😐	😐	😐
Groszek młody zielony	○	75	😐	😐	😐	😐
Kalafior	○	20	🙁	😐	🙂	😐
Kalarepa	○	29	🙂	🙂	😐	😐
Kapusta biała	○	25	😐	🙁	🙂	😐
Kapusta czerwona	○	27	😐	🙁	🙂	😐
Kapusta pekińska	○	12	😐	🙁	🙂	😐
Kapusta włoska	○	38	🙂	🙂	🙂	🙂
Marchew gotowana	○	27	😐	🙂	🙂	😐
Marchew surowa	○	27	😐	🙂	🙂	😐
Ogórki	○	13	🙁	😐	😐	🙂
Oliwki zielone	○	169	😐	😐	🙁	😐

WYBRANE PRODUKTY	Działanie kwasotwórcze lub zasadotwórcze	kcal/100 g	Grupa			
			0	A	B	AB
WARZYWA — *ciąg dalszy*						
Papryka	○	28	😐	🙁	🙂	🙁
Pietruszka korzeń	○	38	🙂	🙂	🙂	🙂
Pietruszka zielona	○	41	🙂	🙂	🙂	🙂
Pomidory	○	15	😐	🙁	🙁	😐
Pory	○	24	🙁	🙂	😐	😐
Roszponka	○	14	😐	😐	😐	😐
Rukola	○	14	😐	😐	😐	😐
Rzepa	○	19	🙂	🙂	😐	😐
Rzodkiew biała	○	14	😐	😐	😐	😐
Rzodkiew czarna	○	14	😐	😐	😐	😐
Rzodkiewka	○	14	😐	😐	🙁	🙁
Sałata lodowa	○	14	😐	😐	😐	😐
Sałata rzymska	○	17	😐	😐	😐	😐
Sałata zielona	○	14	😐	😐	😐	😐
Seler	○	21	😐	😐	😐	😐
Seler gotowany	○	21	😐	😐	😐	😐
Seler naciowy	○	13	😐	🙂	😐	🙂
Soczewica	○	327	🙁	🙂	🙁	😐
Soja gotowana	○	160	😐	🙂	😐	🙂
Szczypiorek	○	29	😐	😐	😐	😐

WYBRANE PRODUKTY	Działanie kwasotwórcze lub zasadotwórcze	kcal/100 g	Grupa			
			0	A	B	AB
WARZYWA — *ciąg dalszy*						
Szparagi	○	18	😐	😐	😐	😐
Szpinak	○	16	🙂	🙂	😐	😐
Ziemniaki gotowane	○	85	🙁	🙁	😐	😐
GRZYBY						
Boczniaki	○	32	😐	😐	😐	😐
Pieczarki	○	17	🙂	🙂	😐	😐
OWOCE						
Agrest	○	41	😐	😐	😐	🙂
Ananas	○	54	🙂	🙂	🙂	🙂
Arbuz	○	36	😐	😐	🙂	🙂
Banany dojrzałe	○	95	🙂	🙁	🙂	🙁
Banany niedojrzałe	○	95	🙂	🙁	🙂	🙁
Brzoskwinie	○	46	😐	😐	😐	😐
Cytryny	○	36	😐	🙂	😐	🙂
Daktyle	○	277	😐	😐	😐	😐
Figi suszone	○	290	🙂	🙂	😐	🙂
Grejpfrut	○	36	😐	🙂	😐	🙂
Gruszki	○	54	😐	😐	😐	😐
Jabłka niedojrzałe	○	46	😐	😐	😐	😐
Jabłka dojrzałe	○	46	😐	😐	😐	😐
Jagody	○	45	🙂	🙂	😐	😐

WYBRANE PRODUKTY	Działanie kwasotwórcze lub zasadotwórcze	kcal/100 g	Grupa			
			0	A	B	AB
OWOCE — *ciąg dalszy*						
Kiwi	○	56	☹	😐	😐	☺
Maliny	○	29	😐	😐	😐	😐
Morele	○	48	😐	☺	😐	😐
Morele suszone	○	288	😐	☺	😐	😐
Porzeczki czarne	○	35	😐	😐	😐	😐
Porzeczki czerwone	○	31	😐	😐	😐	😐
Pomarańcze	○	44	☹	☹	😐	☹
Rodzynki sułtanki	○	277	😐	😐	😐	😐
Śliwki suszone	○	267	☺	☺	☺	☺
Śliwki węgierki	○	45	☺	☺	☺	☺
Truskawki	○	29	😐	😐	😐	😐
Winogrona	○	69	😐	😐	☺	☺
Wiśnie	○	47	☺	☺	😐	☺
Żurawina suszona	●	331	😐	☺	☺	☺
MLEKO I PRZETWORY						
Feta	●	215	😐	😐	☺	☺
Jogurt	◐	72	☹	😐	☺	☺
Maślanka	○	37	☹	☹	😐	☹
Mleko kozie	○	68	☹	😐	☺	☺
Mleko krowie świeże	○	64	☹	☹	☺	😐

WYBRANE PRODUKTY	Działanie kwasotwórcze lub zasadotwórcze	kcal/100 g	Grupa			
			0	A	B	AB
MLEKO I PRZETWORY — *ciąg dalszy*						
Mleko owsiane	○	45	😐	🙂	🙂	🙂
Mleko sojowe	○	41	😐	🙂	🙁	😐
Mozzarella	●	224	😐	😐	🙂	🙂
Ricotta	●	156	🙁	😐	🙂	🙂
Ser tofu	○	72	😐	🙂	🙁	🙂
Serek kozi	●	157	😐	😐	🙂	🙂
Sery żółte	●	300	🙁	🙁	😐	😐
Śmietana 12%	●	133	🙁	😐	😐	🙂
Twaróg chudy	●	86	😐	😐	🙂	🙂
MIĘSO, RYBY I JAJA						
Cielęcina	●	105	🙂	🙁	😐	🙁
Dorsz	●	78	🙂	🙂	🙂	🙂
Flądra	●	83	😐	🙁	🙂	🙁
Halibut	●	98	🙂	🙁	🙂	🙁
Indyk	●	84	😐	😐	😐	🙂
Jaja kurze	●	139	😐	😐	😐	🙂
Karp	●	110	😐	🙂	😐	😐
Krewetki	●	100	😐	🙁	🙁	🙁
Królik	●	136	😐	🙁	🙂	🙂
Kurczak	●	99	😐	😐	🙁	🙁

WYBRANE PRODUKTY	Działanie kwasotwórcze lub zasadotwórcze	kcal/100 g	Grupa			
			0	A	B	AB
MIĘSO, RYBY I JAJA — *ciąg dalszy*						
Łosoś	●	201	😐	🙂	🙂	🙂
Makrela	●	181	😐	🙂	🙂	🙂
Morszczuk	●	89	😐	☹️	🙂	☹️
Okoń	●	91	🙂	🙂	😐	😐
Pstrąg	●	97	😐	😐	☹️	☹️
Szczupak	●	82	🙂	😐	🙂	🙂
Śledź	●	161	😐	☹️	😐	😐
Tuńczyk w sosie własnym	●	100	😐	😐	😐	🙂
Wołowina	●	180	🙂	☹️	😐	☹️
MĄKA, KASZE						
Kasza gryczana	●	336	😐	🙂	☹️	☹️
Kasza jaglana, proso	○	378	😐	😐	☹️	🙂
Kasza jęczmienna	●	327	☹️	😐	😐	😐
Makaron pszenny	●	330	☹️	😐	😐	☹️
Mąka pszenna	●	342	☹️	😐	😐	☹️
Mąka żytnia	●	327	😐	😐	☹️	☹️
Orkisz	●	320	😐	😐	🙂	🙂
Płatki jęczmienne	●	355	☹️	😐	😐	😐
Płatki owsiane	●	366	😐	🙂	🙂	🙂
Ryż naturalny	●	344	😐	🙂	😐	🙂

WYBRANE PRODUKTY	Działanie kwasotwórcze lub zasadotwórcze	kcal/100 g	Grupa			
			0	A	B	AB
PIECZYWO						
Pieczywo białe	●	305	🙁	😐	😐	🙁
Pieczywo chrupkie żytnie Wasa	●	360	😐	😐	🙁	🙂
Pieczywo żytnie	●	191	😐	😐	🙁	🙂
ORZECHY						
Migdały	●	572	😐	😐	😐	😐
Orzechy laskowe	●	640	😐	😐	🙁	🙁
Orzechy włoskie	●	645	🙂	🙂	😐	🙂
Orzeszki ziemne	●	563	🙁	🙂	🙁	🙂
INNE						
Miód	◐	324	😐	😐	😐	😐
Pestki dyni	◐	556	🙂	🙂	🙁	🙁
Syrop klonowy	●	264	🙂	🙂	🙂	🙂
TŁUSZCZE						
Masło	◐	735	🙁	🙁	😐	🙁
Olej rzepakowy	◐	884	😐	😐	🙁	😐
Oliwa z oliwek	◐	882	🙁	🙂	🙂	🙂
NAPOJE						
Coca-cola	●	42	🙁	🙁	🙁	🙁
Herbata czarna	●	0	🙁	🙁	😐	🙁
Herbata zielona	○	0	🙂	🙂	🙂	🙂
Kawa	●	0	🙁	🙁	😐	🙁

WYBRANE PRODUKTY	Działanie kwasotwórcze lub zasadotwórcze	kcal/100 g	Grupa			
			0	A	B	AB
Pilsner	○	44	☹	☹	😐	😐
Piwo (z wyjątkiem piwa Pilsner)	●	70	☹	☹	😐	😐
Wino białe wytrawne	○	67	☹	😐	😐	😐
Wino czerwone wytrawne	○	67	😐	☺	😐	☺
Woda gazowana	●	0	☺	☹	☹	😐

Źródła

John Assaraf, Murray Smith, *Odpowiedź*, Nowa Proza, Warszawa 2008.

James D'Adamo, Allan Richards, *Zdrowie zgodne z grupą krwi*, Studio Astropsychologii, Białystok 2011.

Peter J. D'Adamo, Catherine Whitney, *Jedz zgodnie ze swoją grupą krwi. Alergie*, Mada, Warszawa 2006.

Peter J. D'Adamo, Catherine Whitney, *Jedz zgodnie ze swoją grupą krwi: cztery grupy krwi, cztery diety*, Mada, Warszawa 1998.

Peter J. D'Adamo, Catherine Whitney, *Jedz zgodnie ze swoją grupą krwi. Zmęczenie*, Mada, Warszawa 2006.

Peter J. D'Adamo, Catherine Whitney, *Żyj zgodnie ze swoją grupą krwi*, Mada, Warszawa 2001.

Peter J. D'Adamo, Catherine Whitney, *Jedz zgodnie ze swoją grupą krwi. Encyklopedia zdrowia*, Mada, Warszawa 2003.

Dorota Augustyniak-Madejska, *Zdrowie masz we krwi! Jak żyć w zgodzie z grupą krwi*, Helion, Gliwice 2011.

Maja Błaszczyszyn, Wolfgang R. Auer, *Nie bądź skwaszony*, Interspar, Warszawa 2004.

Maja Błaszczyszyn, *Pełnia życia FITONICS®: wysokoenergetyczny styl życia dla XXI wieku*, Wydawnictwo Sic!, Warszawa 1997.

Rhonda Byrne, *Sekret*, Wydawnictwo Nowa Proza, Warszawa 2007.

Carole Clemens, Elizabeth Wolf-Kohen, *Wyśmienita kuchnia francuska*, Arkady, Warszawa 2004.

Don Colbert, *Pokonaj stres*, Wydawnictwo Inny Świat, 2007.

Sophie Dahl, *Apetyczna panna Dahl*, Wydawnictwo Filo, Warszawa 2011.

Nand Kishare Sharma N.D., *Mleko — cichy morderca*, Oficyna Wydawnicza SPAR, Warszawa 1996.

Krystyna Flis, Wanda Konarzewska, *Podstawy żywienia człowieka*, Wydawnictwa Szkolne i Pedagogiczne, Warszawa 2007.

Krystyna Flis, Wanda Konarzewska, *Podstawy żywienia człowieka*, Wydawnictwa Szkolne i Pedagogiczne 1986.

Aleksandra Former, *Inteligentne odchudzanie*, Helion, Gliwice 2011.

Raymond Francis, Kester Cotton, *Pożegnaj się z chorobami*, Wydawnictwo Medium, Konstancin-Jeziorna 2010.

Raymond Francis, Michelle King, *Pożegnaj się z nadwagą*, Wydawnictwo Medium, Konstancin-Jeziorna 2010.

Jerzy Friediger, *Sekrety toalety. Choroby jelita grubego i odbytu*, AWU Emilia, Kraków, 2006.

Jan Gawęcki, Lech Hryniewiecki, *Żywienie człowieka*, Wydawnictwo Naukowe PWN, Warszawa 1998.

Harald Hosch, *Odkwaszanie*, Agencja Wydawnicza Jerzy Mostowski, Janki k. Warszawy 2005.

Poradnik Żywieniowy człowieka w XXI wieku, Instytut Naukowo-Badawczy im. Prof. Ryszarda Lorenca w Krakowie, Magdal iRL Prywatne Wydawnictwo Naukowe, Kraków 2008.

Mirosław Jarosz, Barbara Bułhak-Jachymczyk, *Normy żywienia człowieka: fizjologiczne podstawy*, Wydawnictwo Lekarskie PZWL, Warszawa 2001.

Elżbieta Korszewska, *Przyjemne odchudzanie*, Prószyński i S-ka, Warszawa 1997.

Hanna Kunachowicz, Irena Nadolna, Beata Przygoda, Krystyna Iwanow, *Tabele składu i wartości odżywczej żywności*, Wydawnictwo Lekarskie PZWL, Warszawa 2005.

Telesfor Lauvicius, Stanisław Więckowski, *Woda zjonizowana. Życie bez chorób*, Obuolys & Oficyna Wydawnicza 3,49, Kowno, Poznań 2010.

Gerhard Leibold, *Wątroba i drogi żółciowe*, Agencja Wydawnicza Jerzy Mostowski, Janki k. Warszawy 2006.

Gerhard Leibold, *Zaburzenia snu*, Agencja Wydawnicza Jerzy Mostowski, Janki k. Warszawy 2007.

Frank Liebke, *Omega-3. Źródło zdrowia prosto z morza*, Interspar, Warszawa 2001.

Źródła

Jolanta Loritz-Dobrowolska, Zyta Sendecka, Elzbieta Szedzianis, Ewa Wierbilowicz, *Biologia 2*, Wydawnictwo Pedagogiczne Operon, Gdynia 2009.

Iwona Majewska-Opiełka, *Czas kobiet*, Dom Wydawniczy Rebis, Poznań 2010.

Gillian McKeith, *Jesteś tym, co jesz*, Dom Wydawniczy Rebis, Poznań 2010.

Mehmed C. Oz., Michael F. Roizen, *Twój organizm. Poradnik użytkownika*, Helion, Gliwice, 2008.

Arabella Melville, Colin Johnson, *Życie bez diety*, Książka i Wiedza, Warszawa 1993.

Michael Montigna, *Jeść, aby schudnąć*, Artvitae, Warszawa 1999.

Achim Peters, *Samolubny mózg*, Wydawnictwo Naukowe PWN, Warszawa 2012.

Żywia Pląskowska, *Rozważania nad talerzem*, Iskry, Warszawa 1992.

Anna Sasin, *Głodne emocje. Jak schudnąć mądrze, skutecznie i na zawsze*, Helion, Gliwice 2010.

Sherrill Sellman, *Brakujące elementy układanki związanej z odchudzaniem*, Nexus, 2011.

Kurt Scheller, *Szefa kuchni wędrówki po świecie*, Świat Książki, Warszawa 2009.

Karen Sullivan, *Witaminy i minerały. Przewodnik*, Wydawnictwo J&BF, Warszawa 1998.

Ewa Superczyńska, Melania Żylińska-Kaczmarek, *Zasady żywienia*, Rea, Warszawa 2004.

Maciej Ugorski, *Wykłady z biochemii*, Akademia Rolnicza, kierunek: biotechnologia, Wrocław 2002, udostępnione przez Beatę Kuk.

Wikipedia.

Annette Wolter, Christian Teubner, *Specjalności kuchni światowej pyszne jak nigdy dotąd*, CBS Service, 1993.

Ewa Woydyłło, *Buty szczęścia*, Wydawnictwo Literackie, Kraków 2010.

Robert O. Young, Shelley Bedford Young, *Próbowałam już tylu diet*, Wydawnictwo Medium, Konstancin-Jeziorna 2009.

Robert O. Young, Shelley Bedford Young, *Próbowałam już wszystkiego, żeby schudnąć...*, Wydawnictwo Medium, Konstancin-Jeziorna 2009.